Calunga
fique com a luz...

© 2000 por Luiz Antonio Gasparetto

Direção de arte e capa: Luiz Antonio Gasparetto
Diagramação: Cristiane Alfano
Revisão: Melina Marin e Cristina Peres
Transcrição dos programas de rádio: Elizio Marques

1ª edição — 6ª impressão
3.000 exemplares — março 2018
Tiragem total: 46.000 exemplares

Dados Internacionais de Catalogação na Publicação (CIP)
(Câmara Brasileira do Livro, SP, Brasil)

Calunga (Espírito).
    Calunga: fique com a luz / psicografado por
Luiz Gasparetto. São Paulo : Centro de Estudos Vida
& Consciência Editora, 2011.

    ISBN 978-85-85872-64-9

    1. Calunga (Espírito) 2. Espiritismo
3. Psicografia I. Gasparetto, II. Título.

11-01186   CDD-133.93

Índices para catálogo sistemático:
1. Mensagens psicografadas : Espiritismo 133.93

Todos os direitos reservados. Nenhuma parte desta edição pode ser utilizada ou reproduzida, por qualquer forma ou meio, seja ele mecânico ou eletrônico, fotocópia, gravação etc., tampouco apropriada ou estocada em sistema de banco de dados, sem a expressa autorização da editora (Lei nº 5.988, de 14/12/1973).

Este livro adota as regras do novo acordo ortográfico (2009).

Editora Vida & Consciência
Rua Agostinho Gomes, 2.312 – São Paulo – SP – Brasil
CEP 04206-001
editora@vidaeconsciencia.com.br
www.vidaeconsciencia.com.br

gasparetto

Calunga
fique com a luz...

Quem é o Calunga?

Um desencarnado que resolveu interferir no mundo dos aparentemente vivos. Certamente ele é mais vivo que qualquer um de nós, pelo menos em sua esperteza em observar a vida como bom mineiro que foi quando estava entre nós.

Preto, sem dentes, descalço e sempre vestido de linho bege, ele conserva a aparência de quando viveu na Terra porque, segundo ele, isso lhe dá a humildade de fazê-lo lembrar quem realmente ele é.

Carismático, terno e firme, possui uma sabedoria sobre a natureza humana que surpreende a todos. Consegue com um piscar de olhos tocar o mais profundo de nosso ser. Nem mesmo as pessoas mais fechadas e protegidas conseguem resistir a seu charme e sabedoria.

Porta-voz dos espíritos superiores, está sempre a nos mostrar novas formas de lidar com as velhas coisas da vida.

Gaba-se de ser o único "defunto" a participar de um programa de rádio, pois ocasionalmente, às quartas-feiras, às dez horas da manhã, ele fala para uma audiência de milhões de ouvintes na rádio paulistana Mundial FM 95,7.

E, finalmente, ele tem sido um grande amigo a inspirar-me em meu trabalho e a mentorar-me no meu aprimoramento pessoal, por isso sou-lhe infinitamente grato.

Neste livro compilamos muitas de suas mensagens dadas na Rádio Mundial e esperamos que vocês possam, como eu, tirar delas o máximo de proveito.

Luiz Antonio Gasparetto

Agradeço à Rádio Mundial por nos dar a oportunidade de publicar esta obra.
A Lucy e Paulo Abreu pela coragem e pioneirismo em apoiar nosso trabalho.
A Miriam Morato por selecionar as mensagens mais interessantes.
E a Elizio Marques pelo fabuloso e difícil trabalho de colocar as mensagens em forma de texto.
Um trabalho sempre é o resultado do esforço de muitos.

"Ocês inventa para si a MINHA MISSÃO. Isso não existe!"
— Tem que fazer, não, tem que fazer é nada! Vocês acreditam em tudo, inventam ou entram na invenção de outros, de religiões. Eu não inventei nada e não ensinei nada disso para vocês. É coisa da fantasia das pessoas crer que carregam um fardo aqui na Terra. Deus, quando quer uma coisa para a gente, a coloca no nosso coração. Impregna-nos de vontade, de alegria. Não estamos aqui porque temos uma missão, um fardo a nos afligir. Estamos aqui porque somos livres para viver a verdade do nosso coração, fazer e agir pela voz do coração. A vontade que vem de dentro nos impulsiona a fazer o que nos faz sentir bem, nos entusiasma.

— Dá aquela coisa forte, aquela alegria!

Deus é alegria e fala somente de alegria interior, de contentamento, de realização do ser. Quando estamos no nosso caminho, nos sentimos realizados, nos sentimos em casa, felizes. É ser e sentir muito o Eu. É assim que Deus fala em nós e a natureza por si só nos mostra o caminho.

Mas o homem inventa. Cria desajustes vivenciais e acredita que tudo é sua responsabilidade. Implora a Deus que lhe dê forças para aguentar a Missão. Acredita que está no mundo para cumprir uma Missão.

"Que Missão? Você é que criou isso na sua cabeça. Fez porque quis. Você que a enfiou aí."

Não é Deus que nos manda os problemas. Deus não fala nas nossas orelhas para nos confundir. Deus fala apenas no nosso coração. É preciso sentir as vibrações do peito, não o burburinho da cabeça.

Vamos jogar o fardo fora, pois a carga não é nossa. Deus é perfeição e não impinge carga mais pesada do que as nossas forças possam suportar.

— Mas aquela pessoa teve um filho excepcional...

Bem, se ela atraiu determinadas experiências, de certa forma aquilo tudo tem algo de proveitoso para ela. Servirá para se libertar de algumas coisas que estavam infernizando a sua vida, vai aprender umas coisas para ficar melhor.

Essa pessoa certamente vivia num mundo de egoísmo, de ilusões, sofrendo carências, exigindo tudo de todos sem nada dar, e então suas vibrações pediam alternativas, ajuda para sair desse conflito que a fazia infeliz.

Para ela aprender a se dar e encontrar a felicidade, esse filho se tornou uma ponte. Afinal, a realização do ser humano está em se dar a alguma coisa ou a alguém. Ou criar algo que empolgue o nosso coração. Uma atividade criativa, um objetivo plausível.

Assim, Deus e as forças universais presentearam-na com um filho excepcional a quem ela vai ter que se doar, romper com seu orgulho. E se dando, ela vai encontrar a felicidade.

É um presente de Deus que, a princípio, vai criar um "baque" na sua vida. Mas depois, com a consciência divina atuando em seu coração, ela vai dar tudo de si e então encontrará o prazer.

Deu-se a união divina. Ela precisava, a criança precisava. Ela, iludida com a vida; a criança, um espírito arrogante que se arrebentou por inteiro e ganhou uma reencarnação de vinte anos numa dependência total, para aprender humildade.

Os dois vão compreender que não se pode ser feliz sem receber, que não se pode ser feliz sem doar. Presente divino para os dois.

A nossa ilusão critica Deus, dizendo que a vida é uma porcaria. Mas a própria vida se encarrega sutilmente de ensinar a cada um. Pelo amor ou pela dor. É para a nossa felicidade, porque na verdade, nas nossas ilusões, não sabemos o que é felicidade. Vivemos sempre nos enganando sobre o que é ser feliz, sobre onde encontrar a felicidade. A vida, que é mais sábia, cria então mecanismos para despertar em nós a felicidade.

E a esses mecanismos, que a princípio nos incomodam e nos fazem sofrer, chamamos erroneamente de Missão. Mas não é Missão. É a necessidade de chegar à verdade, de conhecer a si mesmo e finalmente ser feliz, de se abrir para algo mais profundo, para a consciência do que se é.

Deus tenta de maneiras brandas para que aprendamos.

Mas na nossa ignorância sempre damos permissão a Deus para criar em nós situações mais fortes, mais sofridas, que finalmente conseguem gerar um desequilíbrio inicial, sofrimento e, finalmente, a redenção.

Não adianta querermos coisas, sucesso, o grande amor, dinheiro, se a nossa cabeça não está em harmonia, em sintonia com o universo. Vamos aprendendo e, quem sabe, nas próximas encarnações consigamos.

O segredo é ir mudando nossas atitudes, nosso modo de pensar, entendendo nossos medos. Ter a cabeça boa, trabalhar interna e externamente para ir em frente e conseguir o que realmente queremos e necessitamos. A vida vai nos trazendo situações para que possamos crescer e entender tudo numa só encarnação.

O homem é, na sua essência, livre. Se carrega uma cruz, é porque fez essa escolha movido por vaidades, egoísmo e ilusões.

Tente você descobrir o porquê dessa sua opção pela cruz, o que tem de mau na sua cabeça, o que tem de bom no seu coração.

Qual, afinal, foi a sua opção nesta vida: pelo bem ou pelo mal?

E com a visão espiritual, com a profunda visão divina, você vai saber voltar atrás, disciplinar o seu orgulho, rever tudo e refazer a sua vida.

A gente precisa se cuidar muito nesses dias.

Agora, medo do desemprego é falta de prosperidade, falta de confiança em si, falta de confiança na vida.

Vocês precisam trabalhar muito isso, minha gente.

É preciso ficar atento, cuidar para não perder as oportunidades. E é preciso trabalhar internamente para não ficar correndo atrás de falsas oportunidades. A vida cobra atitudes e é preciso estar preparado para esta nova realidade de trabalho. Não se pode ficar indo para cá e para lá, com medo de encarar as mudanças que estão aí. Se vocês pensarem positivamente, sempre se dará um jeito.

As pessoas medrosas ficam se expondo a situações perigosas e acabam se ferindo. Mas é apenas reflexo do medo, da falta de confiança. Pensam que a vida não dará mais nada, que tirou definitivamente as oportunidades do seu caminho.

— É a cabeça, minha gente, é a sua cabeça que pensa assim.

Olhem para os outros que estão se virando, criando novos caminhos profissionais, novas frentes de trabalho. Há gente com muito sucesso, atraindo somente coisas boas.

Não adianta ficar reclamando, dizendo que "estou desempregado, sem portas que me abram".

Será mesmo que não existe alguma coisa para você fazer, neste mundo, diferente daquilo que sempre fez? Ou você, na sua estreiteza, não quer ver? Não está viciado em pensar o pior? Acomodado num passado, com os olhos fechados para o futuro?

As oportunidades estão em todos os lugares, basta ser criativo. Há pessoas arrumando trabalho de todas as formas, fazendo toda espécie de tarefa, se virando, se encontrando em atividades que antes nem sonhavam ser capazes. Abriram a cabeça para o novo e venceram, estão felizes.

É assim a vida. Não se conseguiu de um lado, abre-se uma porta do outro.

"Tem que se virar, criar."

Agora, com a cabeça ruim, procurando numa só direção, não se chega a lugar nenhum.

"*Tô esperando há três anos e nada.*"

Nada de esperar. Vá à luta, vá olhando os exemplos bons dos que saíram do negativismo, se viraram, se sacudiram e venceram. Com cabeça boa se vai longe, a situação melhora. A economia melhora, como resultado de cada vez mais haver gente pensando melhor, vibrando melhor.

Acreditando!

O egoísmo e a ganância só criam miséria. Temos que pensar "grande", como todo o pessoal que está "indo pra frente", vencendo.

E não é sorte, não! Não adianta justificar o sucesso dos outros como um golpe de sorte. É apenas boa cabeça, boas ideias, o jeito como esse pessoal vencedor se posiciona na vida frente aos desafios.

Os medos e lamúrias apenas desviam a atenção dos caminhos.

Se não tem emprego, certamente tem trabalho. Procure!

A economia depende, antes de tudo, do homem e de suas ideias, de sua capacidade criativa. O mercado financeiro depende das atitudes positivas do homem, da sua cabeça pensante. Não é apenas negócio, o lucro. É, antes de tudo, o homem como agente transformador. Se vocês pensam que a economia é materialismo, vocês estão errados. A economia é o Homem. Foi o homem que a criou e é o homem que tem a força que a regula.

É a "ideia" que faz tudo. A possibilidade de criar alternativas. E uma boa "ideia" nos dias de hoje vale muito! Enriquece o homem de um dia para o outro.

E só cabeças boas têm boas ideias. Às cabeças ruins... o fracasso.

Agora, se a vida não vai como você quer, mude. Ajude Deus, acorde, jogue para fora a vítima que te impede de virar o jogo e atrair a prosperidade para o seu lado. Se desfaça dessa arrogância, avalie seus pontos fracos, livre-se do seu orgulho, perceba que sua vaidade não te dá humildade para aceitar um trabalho diferente daquele que está habituado ou até mesmo viciado. Vá na paz, na inteligência, vá em direção à saída. Porque Deus não está negando saída, mas apenas oferecendo alternativas novas.

As portas existem e certamente você não as vê, porque não são aquelas que você quer. Mas no momento em que você compreender que a porta não é "por onde você quer", e sim "por onde pode", a revelação se dará.

A revelação das possibilidades se dará. Não é Deus que vai dar, não!

Tenha a consciência de que Deus nada dá. Deus apenas nos indica, através do aprendizado, como obter na fonte da vida tudo aquilo que está lá no celeiro divino. Deus não vai dentro do celeiro, pega os alimentos e os coloca em nossas mãos. Deus nos ajuda a aprender a andar, entrar lá dentro e pegar o que é nosso.

Mas, às vezes, na sua ignorância, essa ajuda não é o que você espera. Você ou quer mais ou quer outro alimento.

E o não querer o que é teu acaba te colocando ao revés da vida, vítima que quer continuar sendo, encurralado nas suas ilusões.

Mas Deus vai, ao longo da sua vida, te transformando internamente, para que você tenha finalmente a condição de atrair do celeiro tudo aquilo que você necessita. O celeiro está sempre aberto e funciona pela atração.

As forças divinas nos ajudam a caminhar na direção da felicidade, e essa conquista só depende do nosso empenho, da nossa força.

Hoje é dia de parar, de ceder e aprender a trabalhar com as forças positivas da vida. A vida é sempre imensa. Dentro de nós existe a porta para essa imensidão. Dentro de nós há a possibilidade, há todas as possibilidades...
Hoje eu vou falar para vocês sobre um erro muito grande que cometemos, que é achar que a nossa vontade tem que fazer tudo sozinha.
Vocês se esquecem que essa vontade que têm na cabeça, de querer e fazer as coisas, é apenas uma pequena parte de uma GRANDE VONTADE.
E se a gente não somar e não renunciar às vontades pequenas, as coisas não acontecem e nada vai para a frente.
Na verdade, ainda achamos que temos que fazer tudo. E esta é a grande questão:

"O homem acha que ou faz tudo sozinho ou deixa tudo na mão de Deus."

— Mas não é assim, não. Nem você sozinho, nem Deus sozinho.
É na união, é na comunhão, é na entrega e na fusão que as coisas acontecem. E isso tem que ser em tudo na vida, em todos os dias.

Porque, quando se está inspirado, tudo vem lá do infinito, do universo. Quando a gente está sentindo que é único no universo, todas as coisas começam a andar. Mas, para as coisas andarem, é preciso ter muita renúncia.

"É engraçado, né? Mas acreditem: a gente quer ir pra frente, mas tem que *renunciá*. Isso é esquisito!"

"Mas funciona assim, minha gente."

Eu estou falando de como fazer as coisas funcionarem, de como fazer as coisas andarem:

É entregando para o infinito.

Sem ficar preso no futuro, preso na espera da realização de sonhos, nos planos feitos, nas coisas que achamos que têm que ser, que têm que acontecer.

Mas não é por aí, não!

Porque o universo pode estar pronto para te dar uma outra coisa e você então está criando um problema, uma confusão na sua vida.

Muitas e muitas vezes, ficamos pensando que as coisas são "assim e assado". Mas em matéria de destino, de movimentação da vida, a nossa consciência, o nosso jeito de pensar é muito pequeno.

Agora, quando eu falo para vocês: "Coloquem tudo na mão do universo, não resolvam nada, não procurem a solução, não procurem fazer, não se preocupem em conduzir, em fazer e acontecer", eu não estou dizendo para vocês se abandonarem e se tornarem vagabundos, largar tudo e ficar em casa sentados. Não é isso, não!

Não anule sua vontade, não!

Porque as pessoas são muito assim: ou fazem tudo ou ficam na vagabundagem.

Mas tem uma terceira opção, fora do drama mental, fora do drama do Eu pessoal. E eu estou convidando vocês a me darem as mãos numa corrente e sair do drama da vida. E seja qual for o drama, o problema não resolvido, a doença não curada, a situação infernal em volta de vocês. Ou dentro de vocês. Seja qual for a ansiedade com o futuro, a aflição, o corre- -corre. Não importa onde estejam ou como estejam.

Neste instante estou fazendo um convite diferente, para vocês largarem as mãos de tudo, dizendo:

"Eu vou parar com o meu drama"

"Eu não quero ter esses sentimentos"

"Eu não quero ter aflições"

"Eu não quero ter ansiedades"

"Eu quero sair dessa espera, quero esquecer essas cobranças a mim mesmo"

"Eu não tenho que fazer, eu não tenho que ser, eu não tenho que acontecer"

"Eu não quero..."

"Eu quero paz e serenidade"

E tudo isso com o coração, querendo! Porque se você ficar aí falando e repetindo só automaticamente, sem ação, nada vai acontecer, você não vai ter paz.

— Mas, Calunga, como é que eu vou ter paz, com tudo que está me acontecendo, com tudo que eu tenho para resolver? Que eu tenho que... que eu tenho que...?

Pois isso tudo é a sua vontade. Você está só, fora do real, perdido no drama, criando aflições e ansiedades. E, pior, achando que vai a algum lugar sozinho.

Ninguém resolve problema algum.

São outras forças que agem na nossa vida e é de outro jeito que as coisas vão tomar o rumo, o caminho certo.

O universo é infinito em criar respostas, em criar situações novas.

Não há limite para essas forças.

Agora, quem está no pequeno, preso em dramas, em doenças, em irritações, em problemas emocionais, nos temores com o que vai acontecer, que aceite o meu convite. O meu convite é para sair do drama. É para ter a coragem de não deixar que essas forças que agem na sua mente te dominem. Pois elas atrapalham o fluxo do desvendar dos caminhos.

Esse fluxo, com boa vontade, pode ser ativado. Mas não tenha a ilusão que ativando sozinho, isolado, apenas com a sua vontade, as coisas vão ser resolvidas.

Não pense que a sua vontade é a responsável, é a consciência de si mesmo. Que é só pensar em você e por você, achando que conseguirá, que fará.

Assim, vai acabar fracassando.

Na verdade, essa atitude do Eu sozinho mais a ilusória força da sua vontade acabam atrapalhando tudo, uma vez que você não está entendendo nada da vida.

Você tem medo de largar a sua vontade, pois pensa que sem ela tudo vai abaixo, tudo está perdido. Você tem medo de cair doente, de ser atacado por desânimo, por depressão, por derrota.

Mas, mesmo insistindo em manter sua vontade atuando, a derrota continua e você continua sozinho.

Então já está dando para entender que não é de um lado nem de outro. É uma outra coisa.

É vir para este outro lado, onde se abandona o drama. Abandone tudo na sua mente e comungue esta atitude:

"Eu e o universo somos um Eu, e a infinita força se funde comigo. Não tem mais Eu, não tem mais nada, tem apenas a imensidão."

E mentalize:

Abra as tuas costas como se a imensidão entrasse por ela.
Calmamente, deixe essa imensidão penetrar em você e
na consciência de que o seu Eu e o infinito sejam um só.
Sinta essa grandeza.
Deixe-a eliminar a sua dor. Deixe-a afastar a opressão
mental, emocional.
Venha, firmemente, somar com o universo e crie o alívio preciso.
E diga:
"Eu não vou arrumar nada, eu não vou resolver nada.
Eu não vou tomar nenhuma medida, nenhuma atitude. Eu
vou colocar tudo no universo,
Universo, toma este problema, só você pode resolver,
só você pode fazer alguma coisa, dentro e fora de mim.
Eu quero estar junto a ti, integrado a ti,
Eu quero ser impessoal, eu não quero possuir,
Eu não quero ter esperança de nada... nada esperar,
Eu não sofro mais ansiedade, pagando um preço caro,
Eu não vou mais estragar os meus dias, o meu prazer de
viver,
Eu não quero mais ir a lugar nenhum,
Chega de dirigir as coisas,
Chega de ter uma vontade minha,
Eu quero ficar na tua essência... maior, muito maior,
Eu quero ficar na vontade do universo, quero me sentir
um ser universal,
Eu quero ser espírito,
Só um espírito, pelo infinito."
Com isto, vá sentindo essa amplidão do espírito pleno e
infinito. Sem precisar definir o que é o Eu, o que não é o Eu.
O que é meu e o que não é meu. O que devo e o que não devo.
Sem definições, apenas a consagração deste instante,
desta comunhão.
Porque é no infinito que as peças se integram.

É no infinito que a vida toma rumo e sentido superior, gratificante.

É nesse reencontro interior que se transformam todos os quadros da nossa vida.

É nesse momento que a nossa mente abandona a maneira fria e esquisita de ser dos homens, para penetrar na profundidade da consciência universal.

E vocês vão perceber, com os olhos claros, uma verdade límpida, maravilhosa.

Mas não espere antecipadamente a maravilha. Não espere nada. Entregue-se apenas.

Sinta-se ser pertencente ao universo, deixe o universo assumir as rédeas de todas as coisas da sua vida.

Sinta-se seguro.

Sinta-se resolvido, fora do drama.

Acomodado, silencioso.

Essas atitudes farão brotar dentro de você o tudo que vem do infinito, a vontade verdadeira, a ação. Mas uma vontade diferente.

Você vai perceber que é outra coisa, fora do pensamento, dentro da consciência. Um sentimento que move o mundo dentro e fora de você.

A entrega da vontade que você permitiu é a constatação de que não existem duas vontades — a sua e a da vida — mas apenas uma, fundida.

Você vai perceber que não perdeu nenhuma vontade de fazer as coisas, mas apenas que elas mudaram, tornaram-se diferentes, com atuações diferentes.

E você tornou-se diferente, assim como todas as coisas que te rodeiam também se tornaram diferentes.

E tudo vai fluir melhor.

Eu e o infinito somos agora apenas um!

E para essa unicidade se tornar realidade, entregue a sua vontade a essa sabedoria.

Entregue suas obrigações, suas responsabilidades.

Deixe de ter esperança.

Viva doravante na consciência deste presente, sabendo que a eternidade é esperança.

Tenha a certeza de que essas forças, a partir deste instante, trabalharão e conspirarão em seu favor, transformando o seu interior, o seu subconsciente, a sua mente.

Transformando a sua visão das coisas, transformando as condições de vida que você não conseguia alterar apenas com a sua vontade.

Transformações que abrirão oportunidades na sua vida, abrirão caminhos, dando lições e enriquecendo a sua vivência, cuidando com perfeição de todos os seus momentos.

E você se surpreenderá quando descobrir que as coisas não correrão como você anteriormente queria ou sonhava, mas que acontecerão definitivamente melhores.

Haverá surpresa, porque você verá que o mundo não é o que você pensava, mas sim imensamente melhor.

Mergulhe nessa fusão, você e o universo, sendo um só. Sinta o vapor do universo varrendo você por dentro, sinta esse calor passando pelas suas costas, abrindo o seu peito.

"Meu Deus, eu aqui vendo essa coisa imensa te invadindo, sabendo que você já se tornou essa imensidão aberta, escancarada."

Grite agora:

"Eu sou essa entrega absurda e eu deixo fluir neste instante a certeza infinita de que essa sabedoria imensa faz presença e me transforma, me conduz. Portanto, a minha vontade está entregue à outra vontade que soma com ela e trabalha unida, sendo uma só."

A união com a imensidão é o abandono do crime, da dor, do sofrimento, do drama que a sua cabeça criou.

É a remissão da vida, até então voltada às coisas que vocês viam com os olhos da carne, mas que cegava os olhos do coração.

É o momento de dar um grande passo, de conseguir uma grande solução. De entregar-se para a união, como quem volta ao berço e descansa o sono das lutas terminadas. O sono das competições acabadas, das dúvidas resolvidas.

É a hora de compreender que uma coisa imensa se faz presente no momento adequado, no tempo preciso. De emendar o seu tempo mental ao tempo mental do infinito, criando um só tempo.

O tempo da vida eterna, da vida imensa.

Tempo de sentir como é bom ser imensidão, não ser nada, não ser ninguém. Ser apenas uma sensação, libertado do pequeno e aliado com a grandeza, vendo o mundo fluindo na sua loucura.

Essa transformação a que eu os convidei a participar fez vocês perceberem agora que não foi preciso abandonar suas vidas, suas tarefas, seus trabalhos, seus amigos, enfim, a sociedade como ela é.

Vocês continuam fazendo parte de tudo isso, mas estão diferentes. Vocês e o mundo que os cerca estão diferentes.

Tudo se transformou e vocês não têm mais medo. Ao contrário, agradecem essa diferença que os faz mais felizes.

E para que vocês não esqueçam essa transformação, vamos louvar esse seu novo mundo:

"Eu e o infinito somos um.

Tudo se move pela lei do oculto infinito em mim.

No reino, no nascimento das coisas e das formas.

Na magia do escondido, mas real.

Na sorte, nas correntes de transformação e criação da vida, eu repouso minha vontade assumida, deixando que tudo se transforme.

E o vento da renovação me traz a brisa da segurança, confirmando que tudo está caminhando no bem.

Na certeza de que todo o bem está em mim, se reformulando e se transformando.

Eu e o infinito somos um somente.

Sou apenas espírito na imensidão, assistindo ao drama da vida, apenas participando sem drama.

Sentindo no peito as verdadeiras medidas, acompanhando o discurso silencioso da vida que conversa comigo, a cada medida.

Por isso eu não sou mais pessoa. Eu não sou pessoal, eu não tenho mais Eu, eu não tenho sentimentalismos, eu não tenho desejos.

Apenas contemplo.

E a minha contemplação é ação. Faço todas as coisas, mas sempre estou aqui na imensidão.

Sempre estou no infinito.

O drama das pessoas do mundo, perdidas e separadas, não mais me afeta.

O medo, o desespero, a aflição, todos os pesares antigos passaram.

Eu caminho com naturalidade... fluo com naturalidade. Eu trabalho sem pensamentos, sem emocionalidades.

Mas de dentro de mim sai aquela alegria, aquela ternura... um amor diferente e um gesto e um calor diferentes.

Há um entendimento imenso...

Estou aqui, vivendo a vida, como qualquer um... num corpo que parece igual a qualquer um... Mas eu, eu infinito, não cesso de fluir a um ponto onde as pessoas ainda não estão.

Num ponto eterno, em outro caminho, com um outro jeito de estar em si.

Sou espectador e espetáculo.

Sou capaz de nada fazer e tudo acontecer, tudo ser feito."

É assim que somos na entrega, minha gente.

Tornamo-nos impessoais, capazes de não ter Eu, orgulho e ego; apenas vivência, emancipação, desenvolvimento, crescimento e progresso.

As coisas verdadeiras são as coisas da alma.

Todo ser humano está dividido entre as coisas do mundo e as coisas da alma, do espírito.

A gente vê as coisas com os olhos de homem ou com os olhos de espírito integrado no universo de Deus. A gente faz as coisas do jeito do homem ou do jeito do espírito, divino.

Esse fazer e agir vai dependendo da pessoa, dependendo do seu entendimento, das suas experiências.

Na nossa vivência na Terra, nós, homens, vamos nos desiludindo das coisas, vamos mudando o nosso modo de ver as coisas, nos soltando das amarras do materialismo, vamos escolhendo mais pela necessidade de nos harmonizarmos.

> "Porque as coisas do lado do espírito são outras."

Sempre nos questionando sobre o certo e o errado... Quanta confusão mental!

Porque o certo é assim ou assado, porque as responsabilidades são estas ou aquelas.

E, devagar, vamos aprendendo a tomar posições, compreendendo que as coisas aos olhos do espírito têm outras dimensões.

Para se ter uma ideia de como isso é complicado, vamos ver o exemplo de uma mãe modelo:

Aquela mãe que olha para os filhos e acredita que são sua propriedade, que ela tem que cuidar deles, que eles são absolutamente dependentes dela. Ela é a única responsável pela felicidade deles. Faz por eles todos os sacrifícios do mundo.

Na realidade essa mãe está criando para si a imagem de mãe desprendida, porque ela está vendo o seu mundo assim, mundo de mãe humana, de mãe mulher, de gente do mundo. Sacrificada.

Mas tem aquela que não vê assim. Aquela que vê as coisas do espírito, do jeito dela. Pelo lado independente, pelo lado da realização pessoal. Esta vive inspirada pelo espírito. O filho não é dela, o filho é da vida e para a vida.

Claro que ela é uma boa mãe, responsável, carinhosa, mas não tem essas coisas, não! Não tem aflições, não tem culpas, não tem medos, não alimenta dependências, cadeias.

Essa mãe tem o espírito livre. Essa mãe não sofre e não faz sofrer.

Ela sabe que cada um tem sua peleja, tem sua responsabilidade. Seu guia é o coração, e não acredita no "cunversê" de esposa dedicada e anulada. Ela não se humilha e não é humilde. Faz as coisas do seu jeito. E é sempre criticada, mas não dá importância, não. É uma mulher firme de caráter. Sua liberdade é o seu tesouro, e não se sujeita a escrava dentro da família, nem dos valores hipócritas da sociedade. Não vai nessa conversa de esposa, que tem que ser assim com essas besteiras do mundo. É então, minha gente, uma mulher-alma. Uma pessoa espiritualizada que irradia uma luz universal, que comunga com Deus. Ela é daquele jeito só dela, assim, assim, lá dentro...

Quem está no espírito não dá importância para chantagens e cobranças de família, de amigos, dos homens. Porque os homens nada têm a oferecer, quem dá é Deus. E Deus dá somente para quem está na luz, no espírito. Na hora H é Deus que fornece tudo que precisamos.

Assim, a pessoa tem a vida em harmonia, porque, em sintonia com a alma, tudo é perfeito.

Mas tem aquelas pessoas que não conseguem manter essa harmonia para sempre. Vão se misturando com pensamentos humanos, coisas assim da Terra, perdendo a confiança e entrando nas neuroses. Acabam ficando escravos das convenções da Terra, escravos do pensamento dos outros, e finalmente carregando um mundo maior do que têm forças e acabam adoecendo, acabam no sofrimento.

Mas aqueles que ficam no espírito, na alma, não estão nem aí para essas coisas do homem. Estes não se deixam levar pelas coisas dos homens, estes ouvem, mas não escutam, não se intimidam.

Sabem que o negócio do homem é Deus!

Não se intimidam com as chantagens do amor, porque por amor não se cobra nada: "Quer ir embora? Vai! Já vai tarde!"

Não tem apego, é espírito livre. Só fica junto quando está bom. Quando não dá prazer, vai embora; quando as coisas mudam, não sofre, aceita e parte para outra. Não dá satisfações a ninguém, não prende e não se prende. Não sente gratidão por favores recebidos porque sabe:

quem paga pelos favores entre os homens é Deus.

Temos então que libertar o nosso espírito da escravidão, das convenções, das mentiras e dos valores que os homens criaram e por séculos vêm nos aprisionando e nos fazendo sofrer. Temos que meditar para a libertação do nosso espírito e saúde do nosso corpo. E se não for assim, na calma, vai ser pela dor. Porque a dor força atitudes mais sofridas.

Vamos ver então a que Deus servimos, vamos ver a que luz estamos expostos. É luz ou escuridão?

Pois quem está na luz divina está na alegria, está livre. E quem está na escuridão está cheio de obrigações, de problemas, de dramas, de medos, cheios de "tem que".

O homem que se atormenta por se sentir "responsável", e essa responsabilidade é o seu fardo, está na escuridão.

Se você quiser a luz, a leveza e a felicidade, não carregue fardo nenhum. Pois o jugo de Deus é leve, e esse fardo existe apenas por conta da sua ignorância.

Fardo... Imagine se Deus dá fardo para um filho!

Deus nos criou puros, inteiros, prontos para a felicidade. Temos que nos voltar a essa essência, nos voltar ao Deus que reina dentro de nós. Voltar à luz da prosperidade.

Nós temos então que aprender a distinguir entre o que é espiritual e o que é terreno. Temos muita coisa na cabeça que nada tem a ver com a verdade da vida. São apenas convenções que o homem criou, apenas pelo gosto de servir à hipocrisia e à vaidade. Aprender a não ter medo de nada e de ninguém, a desamarrar os nós que nos prendem a esses ganchos, que nos arrastam para a escuridão. Aprender que temos opções. Que espiritualidade não é apenas ficar rezando, pedindo, tomando posições passivas.

A espiritualidade não vem do exercício de crenças religiosas, mas brota no coração e na vivência do homem.

Vem de dentro.

Vamos aprender que Deus é sorte, Deus é sorriso, alegria contagiante.

Todos nós temos a chance de poder mudar ou permanecer os mesmos.

Na lei do livre-arbítrio, cada um faz o que quer da vida.

Então, quando as coisas saem do seu controle, não adianta culpar Deus, as pessoas, o mundo todo.

Porque, na hora de pensar para fazer as coisas, ninguém está vendo o que está fazendo, não.

"Ninguém está pondo intenção de ver bem o que está pensando, o que está investido na cabeça, nas crenças."

Depois, quando tudo está descontrolado, o povo todo se aflige, não entendendo o porquê das coisas. Mas a gente fica aqui olhando as coisas como são por aí.

"Nada como um dia após o outro, para ver como vocês se ajeitam."

Não há ser vivente que não tenha subido e depois caído; não há ser vivente que não tenha caído e depois subido. A vida vai ensinando o quanto estamos na ilusão, fora da verdade.

A verdade é muito bonita, é alegria, é prosperidade.

Como é bom ser próspero, manter o pensamento sempre no bem. As ilusões são armadilhas que pegamos aqui neste mundo, no astral periférico do mundo, só servindo para nos atormentar. Mas servem também para nos levar à verdade.

Nesses momentos a gente vai à luta em busca da verdade e procura dar força a ela. Afinal, somos seres que estão aprendendo a compreender a necessidade de viver na verdade. Mas a nossa cabeça é cheia de ilusões, cheia de besteiras, cheia de mentiras. E isso tudo, no final, nos dá a chance da mudança.

Pois, se não fosse assim, Deus não criaria essas perturbações, esses tormentos.

Deus criou o homem com a capacidade de formar ilusões e sofrimentos exatamente para que a verdade saia do seu inconsciente, da escuridão, e tenha a oportunidade de caminhar para a luz.

É um instrumento, é a maneira de os opostos aflorarem em nós.

O segredo é aprendermos como é esse mecanismo da vida, que cria ilusões e dores para nos forçar a nos jogar na alegria, no prazer e na prosperidade.

O universo é tão próspero e inteligente que cria essas situações para fazer um jogo conosco.

Um jogo em que o vencedor é o que opta pela felicidade da alma.

O "tudo" do universo é tão complexo que ninguém, com toda a evolução da ciência no mundo dos homens, pode compreender.

Nem nós aqui, os mortos, sabemos...

Vocês ainda não compreenderam, mas somos todos a manifestação das coisas do universo. Temos o universo dentro de nós. E se dermos a oportunidade a nós mesmos — ou a Deus — de comungarmos com uma verdade maior, nos esquecendo um pouco que somos pessoas, nos libertando de nossas ilusões, de nos transformarmos no nada, de nos entregarmos a este universo maravilhoso, perceberemos a magnitude e a beleza que temos dentro de nós, a tão fácil alcance.

Temos uma força tão grande para criar o nosso destino e não sabemos usá-la.

Somos tão poderosos que nos tornamos o que pensamos ser.

Podemos criar, para o nosso desfrute, o bem... e o mal.

Com os nossos pensamentos, com as nossas vibrações, estamos traçando o nosso destino, mas não sabemos ainda como direcionar esse poder.

E se somos o universo em nós mesmos, é porque somos criadores. E se somos criadores, criamos o que queremos, seja para o nosso bem, seja para o nosso mal. E assim, então, vamos animar essa força dentro de nós, vamos nos alimentar dessa força disponível neste universo de glória.

Esqueçamos esse Eu, esqueçamos a pessoa, ligações familiares, nome, profissão, contas a pagar, doenças, tristezas.

Vamos criar para nós um mundo diferente.

Sejamos uma gota de luz em harmonia com a grande luz universal.

E para isso não é necessário o abandono de nossas pretensões, de nossos sonhos. Não é preciso que nos tornemos missionários, párias do mundo. Podemos continuar no nosso pedacinho, no nosso trabalho, no nosso aprendizado de bem viver. Basta jogar fora todos os pensamentos contraditórios, tudo que quer fazer de nós, humanos pequenos, cheios de defeitos e culpas.

Na verdade, ninguém tem defeitos. É apenas a nossa pretensão de sermos modelo de perfeição que cria os nossos defeitos, as nossas impossibilidades. Quando entendemos isso, acabamos com o nosso sofrimento e criamos uma modéstia verdadeira, real, gerando uma situação de consciência para usar o nosso poder de forma positiva.

Entendendo com o coração, com o peito e alma, que só o Bem é a verdade, a prosperidade.

A prosperidade é um sentimento de revolução do universo em nós.

É o sentimento da crença na abundância, da beleza e do bem existente dentro de nós. É a consciência de que o nosso ser e o nosso corpo são perfeitos. E se não estamos perfeitos, é porque nos envolvemos nas ilusões, mas somos capazes da recuperação, da transformação.

Quem não está feliz não está vivendo em harmonia, está nas formas erradas de pensamento.

A felicidade é o anseio do universo em nós, é a verdadeira realização da vida em nós. Quando estamos sofrendo, estamos fora de sintonia com essa maravilhosa orquestra.

É o pensamento que molda em nós as coisas erradas. A mente é uma joia preciosa que precisa ser mantida com disciplina. Caso contrário, caímos, beijamos o chão na queda brusca da incompreensão das leis. Experimentamos um pouco de lama, mas acabamos um dia por subir novamente.

Porque ninguém fica eternamente no chão da ignorância.

A queda é ruim, mas no fundo desse poço existe a saída para o nascimento da verdade. Verdade libertadora para as belezas do universo.

Não podemos perder as esperanças, não podemos perder nunca o contato com a verdade. Quando estamos em queda, devemos ter a coragem e a humildade de admitir a nossa incapacidade de dirigir a nossa vida e deixar a vida nos levar, sem reservas.

É preciso se entregar, jogando fora todas as defesas, se largando na vida. Não temamos o homem que somos, não temamos o amanhã, não temamos nada.

O "não temer nada" significa compreender que não somos nós que nos defendemos das coisas, mas sim a vida que nos defende.

Daqui para a frente, vamos alimentar na alma o bem, o bem maior, o bem profundo. A beleza próspera, a ideia de abundância, de bênção, respeitando a nossa natureza, o nosso exato tamanho. Pois o que é Vida, o que é expansão universal reside no nosso peito, para o nosso deleite.

Somos o universo transformado em gente, resplandecendo de alegria, contentamento e luz.

Estando em sintonia pura com o universo, ele nos trará o que temos direito como cidadãos cósmicos que somos.

Fiquemos na "nossa casa", pois os pacotes de Deus só chegam para quem está em sua própria casa interior.

Acendamos a luz da prosperidade e da confiança, porque sem essa luz não teremos defesas nem física — no sistema imunológico — nem áurica, para a vida astral.

Chegou o momento da abundância para quem der o testemunho. Se quisermos vida, entreguemo-nos a ela.

É um casamento divino.

"Se ocê pensa que vai *encontrá arguma* coisa em mim pra *resorvê* seus *probrema*... eu, hein!!!
Sô milagreiro, não!"
Você tem mais é que ir lá dentro de você mesmo.
Porque tem que nascer dentro de você a consciência cósmica, a consciência infinita.
Tudo está aí no universo para inspirar você, para dizer tudo que você precisa saber.

"Eu sô apenas um amigo dando o alerta."

Eu às vezes dou até um pouco de explicações e um pouco de jeito diferente de pensar, convidando você para um outro exercício, divergente até daquilo que você tem vivenciado. Mas a coisa mesmo depende da gente, de você que está aí se negando a entregar a sua vontade, achando que tem que ser tudo como a sua cabeça quer.

E o pior é que nem sabe o que quer e por que quer, pois a maioria das coisas desejadas você aprendeu no "tem que ter".

E continua então sem entender nada da vida, desta grandeza, sem aproveitar a mansidão oferecida por uma coisa maior.

É só brigando, pelejando, se separando, cavando as coisas com sangue e suor.

— Onde já se viu *cavá* as coisa na vida a sangue e suor?

Será que a natureza não sabe das suas necessidades e não as provê?

Será que essas forças não sabem do que você precisa?

Será mesmo que Deus está tão cego, saiu, foi embora, te abandonou?

Ou é você que está cego, que saiu de si e foi embora?

Quem é que está ausente na sua vida?

— *Tá ocê percurando* onde? Em quê?

Está procurando em que religião, em que filosofia?

Vocês estão todos enganados, pois nada é sagrado, e o único caminho é o de dentro. Não tem outro. Não existe essa salvação que vocês procuram. Não existe felicidade em nada fora de você.

Tudo é lá dentro de vocês, na entrega do coração, na união interior. É na renúncia desse mundo em que vocês vivem e acreditam, para retomá-lo com uma nova arma, com uma nova visão.

Renunciar ao mundo não é parar de trabalhar e ficar num canto, vivendo na miséria, mas sim ter outro modo de viver e de usar os recursos do universo. Um outro modo de sentir e pensar.

Abandonem sua teimosia, essa mania de querer que seja tudo do seu jeito... esse modo de pensar assim... de ter que ser assim...

— Xô, arrogância. Ou *ocê* se liberta, ou vai *beijá* a lama da impotência, do abandono.

Nessa arrogância você vai é ficar sempre na pergunta, sem condições de compreender nada, sem resposta para nada.

Trate de aprender que Deus não é seu empregado, mas que você é empregado de Deus.

Abandone essa personalidade presa nas besteiras do raciocínio e se entregue aos anseios da alma, para que nasça em você a compreensão.

Sem o abandono não há integração.

Se entregue, para que dentro de você a alquimia do universo desperte e realize a compreensão de que é preciso morrer a pessoa para nascer o espírito.

Porque a verdade é o espírito.

Por tudo isso é que eu sempre venho dizendo a vocês para pararem de fazer-me perguntas complicadas, já que não têm condições de digerir a resposta.

A resposta, minha gente, não é um raciocínio, pois

o caminho não está no verbo.

O caminho está dentro de vocês. Compreendam, entreguem, assumam a grandeza.

E saiam dessa falsa humildade.

— Ai, quem sou eu? Sou tão pequena!

Parem com essa vulgaridade de ter a vaidade de "ser pequenininha".

Você é integração, você é universo.

Se abra para as coisas do espírito, ou não vai encontrar nunca o seu modo de viver bem, a sua satisfação dentro daquilo que é teu por herança universal.

Você é um pedaço da vida onde habita a vontade do universo em se realizar.

— *Ocê* não é pessoa, não é gentinha. Isso é uma mentira criada pelos *home*.

Somos todos fonte de luz e vida. Somos espaço onde o universo se realiza, se concretiza.

"Você só vai conquistar o mundo largando o mundo."

Não se perca nos dramas da cabeça, querendo resolver o que não tem condições de resolver. Não force, porque a solução, a "ideia", vem de dentro de nós e não podemos forçar Deus a fazer isso. Tudo tem que ser espontâneo, enquanto se educa a mente para que ela perceba que não pode fazer tudo sozinha.

Essas atitudes não são alienantes nem irresponsáveis, mas outra maneira de estar nas coisas, sem os extremos que estão acostumados:

— Ou faz isso ou abandona, negligencia.

É aquela outra maneira, outro modo de ser e estar...

Ser apenas o universo infinito, deixando tudo nas mãos dos poderes que resolvem, que conduzem.

— Eu, aqui no meu canto, já não conduzo, não assumo mais nada como só meu. Não faço nada achando que é Eu. Tudo *tá* indo e eu indo com *as coisa*. Sem Eu, na coisa imensa, no sentido imenso, num poder infinito em mim.

Viver no Bem é uma coisa muito saudável.
Se você passou a semana bem, é porque estava no Bem.
Se passou mal, é porque estava no mal.
Não tem outra coisa a dizer sobre isso.
O Bem é tudo aquilo de dá resultado bom no final.
Simples, não?
Às vezes tem aquelas coisas que nos parecem, a princípio, ser do Bem, mas depois acabam com a gente. É vivenciando as situações que a gente vai aprendendo o que é o Bem de verdade.
— Essas coisas de pode, não pode, de certo é assim, assado é errado, tudo é falação.
As pessoas não sabem o que é na verdade o Bem. Depende de cada um.
Tem gente que fala assim: "Eu vou pôr este menino de castigo, porque ele *tá* terrível".
Na verdade ela acha que está fazendo o bem punindo a criança. Mas está é ensinando a violência, a punição.
Aparentemente, ela acha que está corrigindo o menino, mas na violência ele está é aprendendo a mentir, a não enfrentar a verdade por causa da punição. Está aprendendo a covardia, a sem-vergonhice, a necessidade de poder dos adultos.

O melhor é conversar, dialogar, mostrar alternativas. Sem repressão.

Cada um de nós, de acordo com os nossos valores, nossas ilusões, acha que o Bem é uma coisa.

Mas eu aqui, no meu canto, penso assim: "Bem faz bem, *mar faz mar*." Aí então as pessoas me perguntam: "Calunga, não sei por que eu sofro tanto na vida. Eu faço sempre as coisas certas, sempre faço o bem..."

Para mim uma coisa é clara: se está ruim é porque você está no ruim, no errado. Você é ruim para você mesmo e pensa que está fazendo o bem. Mas esse teu bem não é o Bem, não. O resultado não mente, os fatos não mentem. Se as coisas para você andam ruins, é porque esse Bem que você está praticando não está certo, não. O fato é o fato.

Não complique as coisas mudando os valores, pervertendo a verdade. Isso só confunde a sua cabeça e complica o seu dia a dia, nada dá certo.

Porque ninguém engana a vida.

Quando o seu Bem não te faz realizado, as suas coisas não andam, é óbvio que tudo está desviado do caminho certo, do caminho do coração.

— Ai, por que eu me sacrifiquei tanto pela família, fiz isto e aquilo e estou sofrendo? Por que é que Deus está me punindo?

Essa revolta não adianta nada, porque Deus não está fazendo nada, não. É a velha mania de jogar todas as culpas em Deus.

Eu não sei onde é que vocês aprenderam isso, ficando nesse queixume danado.

Eu vou esclarecer para vocês como é que eu vejo as coisas, como eu aprendi aqui no mundo astral.

Para começar, digo que vocês aprenderam tudo errado. E parece que não querem aprender nada, se concentrar, atinar e rever o que venho dizendo. Será que é porque vocês querem continuar no mal, para ficar naquele "cunversê" de ser a eterna vítima? Bem, tem que olhar as coisas de frente, encarar as realidades e se desfazer desse monte de ilusões. Não adianta ficar parado, que a vida não quer saber, não. Tudo que você plantou, vai ter que colher. É a lei da vida, e ninguém escapa. Não tem privilegiado. Se levou, é porque plantou.

Não adianta ser esperto para mascarar a desonestidade.

Ninguém escapa. Nem o esperto que pensa que escapou de todo mundo, que enganou todo mundo, pois amanhã vai estar no fundo da cama, cheio de doenças. E vai perceber que só enganou a si mesmo, fugindo do seu compromisso com o Bem.

Há aqueles outros, cheios de inveja e falam de Fulano e Sicrano:

— Aquele ali é ruim, fez tudo errado e deu certo na vida. Mas será mesmo que ele estava agindo errado, no mal? Se deu tudo certo para ele, é porque agiu dentro da sua própria verdade. Os erros vistos nele não passam de julgamentos falsos de pessoas com a moral distorcida, atoladas no falso Bem e na inveja. É tudo muito simples para viver no Bem. É tomar atitudes vindas do coração, que atendam às suas necessidades de ser feliz. É não pensar no outro, no que as pessoas vão dizer.

É não pensar que existe o mal, que existe o erro.

Jogue fora esse orgulho que faz você viver para a opinião alheia, para as necessidades dos outros, para o julgamento dos outros.

Você não quer ser julgado, mas vive julgando todo mundo, metendo a língua na vida alheia: "Ai, porque Fulana, porque Sicrana…"

Saia desse mundo pequeno e venha para a luz do Bem verdadeiro.

— Mas, Calunga, não adiantou nada do que eu fiz?

Parece que não, e não adianta ficar fazendo cenas de desespero, porque não vai resolver nada, não.

É preciso abrir a cabeça e botar a inteligência para funcionar. Se aquietar, jogar fora o temperamento aflito, as cenas de escândalo por se sentir abandonada. Assim você está é tentando tapear a vida. Tapear, porque na hora de pagar as suas contas, o débito é todinho seu.

É a justiça da natureza.

Só a natureza tem o poder de justiça.

Mas o homem tem a mania de querer ser juiz, gosta de ser juiz, de botar sentenças no mundo, nos comportamentos das pessoas.

Mas nesse tribunal que você criou para julgar o mundo, o verdadeiro réu é você mesmo.

Vamos repensar. A vida não anda boa, onde é que está o nó, onde está o impedimento? Você pensava que estava fazendo tudo no Bem, e na verdade não estava. O que está me levando para o lado ruim, mesmo eu correndo atrás do bem? Por que este negativismo que me faz sofrer?

Onde está o que é bom, o que me dá alegria, o que me dá força, estímulo e coragem?

— Não adianta *percurá* nos livro, não. E *ocês* vão me *discurpá*, mais *vô sê* atrevido, petulante com *ocês*:

Está na natureza, minha gente.

Nada é MELHOR na criação de Deus. Ninguém é melhor que a barata, que a pulga. Branco não é melhor que preto, ladrão pior que o honesto.

Tudo é criação de Deus, e Deus tem um motivo justo para continuar criando essa diversidade.

Uma coisa serve para justificar a outra.

Os opostos são complementares, necessários para mostrar a beleza da criação.

A escuridão só existe para valorizar a beleza da luz.

Não corra atrás de julgamentos de valores, não procure separar as coisas da vida entre bem e mal, feio e bonito, certo e errado. Não acredite que você é melhor que um e pior que outro. Não acredite que o mal existe isoladamente, para te ferir. Se ele está presente na sua vida, é para te fazer lembrar que o Bem te espera em todos os lugares. Basta caminhar até ele.

Nunca faça o bem apenas pensando em se livrar do mal. Faça apenas aquilo que te dá prazer.

Há um monte de amigos aí na Terra carregando sobre as cabeças umas nuvens escuras que estão ameaçando uma trovoada daquelas. Se não se cuidarem, vão morrer todos afogados. Afogados na maledicência, na preocupação, no diz-que-diz.

Essa gente toda entra numa corrente do fala-fala do mundo, se enrola em encrencas. O melhor a fazer é não pensar em nada, não dar atenção ao vizinho.

Vamos aprender que os outros, o seu amigo, o seu vizinho, não são referenciais para o seu comportamento, não são modelos para as suas atitudes, para o seu modo de ser.

A necessidade do outro não é prioritária.

A necessidade do outro não é a indicação para o que nós temos que fazer da nossa vida. Vai lá dentro de você, escuta a sua necessidade, exatamente aquela que Deus soprou só para você.

O primeiro passo é se orientar. O sentimento do outro você pode até respeitar, mas não aceitar como o referencial para te conduzir na vida.

Ouça apenas o seu sentimento.

De nada vai adiantar você ficar com melindres de chatear o amigo, o irmão, outro qualquer. Não fazer o que é bom para você, com medo de magoar o outro.

Fique no seu referencial, oriente-se pelo seu referencial.

Cada vez que você cede, achando que tem que ser bonzinho para o próximo, vai se afastando da lei do amor, vai se afastando da sua verdade, da sua luz. E a nuvem vai crescendo sobre a sua cabeça.

Pesando, ameaçando.

É você confundindo tudo. Achando que a nuvem negra é sinal de egoísmo, de individualismo. Você sabe o certo, sabe o que é bom para você, mas fica nesse impasse. Ou eu ou o outro. Fica na dúvida entre aceitar o sentimento íntimo que Deus te deu para te guiar e ter a aprovação dos outros. Mas se esquece que Deus também deu a todos os outros esse mesmo sentimento íntimo para guiá-los.

Então não interfira. Cada um é responsável pelo exercício do sentimento que recebeu.

É a compreensão errada do Amor, desse bem maior.

O amor se sente apenas e tão somente no coração. O amor é bom quando exercido na sua essência, quando compreendido e exteriorizado de forma livre.

A expressão do amor não pode ser vivida com os valores morais que temos na cabeça, com esse modo de pensar distorcido, com esse modo de ver a vida de forma errada, principalmente acreditando na posse das pessoas, dos seus atos e sentimentos.

— Porque eu amo, eu tenho que me responsabilizar pela felicidade da pessoa amada, eu tenho que fazê-la feliz, eu tenho...

Esses "eu tenho" são invenções de cabeças perturbadas.

Não é o amor que quer, que tem que. É a cabeça, a razão que entende dessa forma distorcida.

O amor se sente no coração, o coração é só amor, desobrigado de tudo.

A cabeça, infelizmente, pressiona esse sentimento, distorce-o de acordo com a mentalidade de cada um.

Para a felicidade ou para a desgraça.

Porque tem gente que até mata em nome do amor: "Eu a amo e não sou amado por ela. Não vou deixá-la para outro. Vou matá-la".

E mata!

Outros querem exigir o amor: "Olhe só para mim, viva só para mim, seja só para mim, sacrifique-se por mim. Eu quero assim porque te amo".

E cobra!

Chantagens criadas pela cabeça, pela neurose. Não é coisa de amor.

Mas não se pode negar que essas pessoas estejam amando no coração. O amor pode até estar no peito, mas a cabeça, coitada, está muito mal orientada. Cheia de conceitos ruins que fazem do amor uma tragédia, instrumento de desculpa para qualquer tipo de crime.

A mãe bate nos filhos, o pai maltrata a mulher. É a roda da vida falsa girando em nome do amor. Todos se enganando, fazendo o mal em nome desse sentimento de amor, de benquerer.

O amor sentimento, a palavra amor, não pode continuar sendo usado como se fosse um passe para tudo. Um passe mágico que tudo permite, que justifica tudo — na sua vida e na vida de quem julga amar.

O "porque amo" não pode ser seguido do "tudo posso".

Essa ilusão traz embutidos apenas sofrimento e dor.

O amor, para ser exercido na sua plenitude, tem que florescer no coração e ser vivido através de uma cabeça boa. Através de uma cabeça aberta, inteligente, bem resolvida, bem pensada. As cabeças mesquinhas, fechadas, neurotizadas, exteriorizam o amor na forma de posse, sofrimento e dor, tanto para quem ama como para quem é amado.

— Tenho às vezes até vontade de *desencorajá* vocês de *amá* e *dizê*: "Ó, gente, não ama mais, porque *ocês* quando ama sofre muito. Acho que é *mior* nem mais *amá*. Sem amor, *ocês sofre* menos".

Vejam lá então o que vocês estão fazendo em nome do amor.

Você que é mãe, que é pai, que tem um companheiro, vejam bem o que andam cometendo em nome do amor, vejam como andam exercitando esse sentimento.

Será que estão amando ou atormentando?

Explorando, exigindo, sufocando?

O seu casamento é a união de duas pessoas livres ou a prisão de dois dependentes?

As pessoas que você ama são livres ou controladas por você?

Porque em nome do lar, da família, dos filhos... e do amor, vocês destroem e são destruídos.

Não adianta continuar achando que, só porque têm um bom sentimento no coração, tudo vale, que tudo pode.

Só vale realmente se desse sentimento você construir harmonia, se ele ajudou e ajuda a trilhar o caminho da elevação, do crescimento.

Um bom sentimento não é desculpa para um pensamento ou uma atitude negativa. Não é desculpa para exercer poder, para chantagear, para exigir.

O amor só deve deixar o ninho do coração quando o seu exercício puder, antes de tudo, preservar a liberdade da pessoa amada. O amor não é posse, e sim o caminho para a liberdade... e a própria liberdade.

A moral dos homens, o modo de pensar que orienta todos os nossos atos, é feita de um conjunto de princípios, de ideias básicas.

A partir delas, nós pensamos, nós agimos, estabelecemos os nossos pontos de vista, olhamos a vida de um modo todo particular, fazemos as coisas de um jeito único. Cada um de nós com os nossos princípios. Princípios morais.

Mas dois grandes venenos estão sendo criados dentro desses princípios. Veneno puro, da humanidade.

O primeiro princípio moral venenoso é acreditar que está no outro o nosso referencial, o nosso modelo.

O outro em primeiro lugar; você sempre depois.

Então, quando esse princípio atua, você vai pelo mundo externo, pelos outros, pelo ambiente.

O ambiente te envolve e você se perde no mundo, tornando-se mais um na multidão de anônimos.

Na verdade, nós somos o nosso próprio referencial.

Deus fala apenas na nossa emoção, na nossa verdade única, no nosso sentimento.

Nossa intuição e sensações são tão particulares que só existe um sentido na nossa vida, alimentado com unicidade. E não nos sentidos dos outros, tão diferentes da nossa essência.

Deus criou a unicidade porque cada indivíduo tem uma missão diferente, um trabalho diferente.

Você não pode usufruir da receita do outro, se alimentar na fonte do outro, usar a medida do outro sob o risco de estar passando por cima dos seus sentimentos e se perder completamente.

O segundo é a ideia da imperfeição.

Você acredita piamente que é imperfeito. É o veneno que faz com que você nunca mais tenha autoconfiança, nunca mais acredite em você.

Quando a ideia da imperfeição bate na sua cabeça, você acredita ser um poço de defeitos. E não se cansa de enumerar a todos essas imperfeições. Fica até orgulhoso da sua modéstia. Todos vão aplaudir, vão te admirar por ter a capacidade de reconhecer essas limitações.

Mas não está sendo modesto, não.

Está é cego e depressivo.

A obra de Deus — e você é uma obra divina — não tem defeitos.

Você, ninguém e nada tem defeitos.

O hábito de se menosprezar é uma característica da humanidade, para que todo mundo, conivente um com o outro, possa ficar "metendo o pau em todo mundo".

Menosprezar-se para se equiparar, para ser igual à multidão; menosprezar-se para ter a aceitação dos pares.

Ninguém percebe a obra de Deus, ninguém entende por que é que Deus colocou, digamos, a raiva dentro da gente. A raiva é um sentimento como outro qualquer, faz parte da natureza humana, mas é considerada um defeito, um desvio de caráter.

Como é que uma obra divina pode ser um defeito?

É necessário apenas compreender essas coisas, mas nunca considerá-las defeitos. Quer seja ódio, nojo, inveja... tudo é obra de Deus, e num contexto maior tem a sua validade, a sua necessidade. Mas nunca podem ser consideradas defeitos.

São instrumentos de compreensão, são exemplos da dualidade do universo.

Podemos certamente não gostar disso tudo.

O não gostar é da natureza do homem. Afinal, gostamos apenas do que gostamos e não se pode gostar de tudo e de todos.

Mas é distorcer a realidade separar as coisas em defeito e perfeição. Existe espaço para tudo, tudo é necessário.

Viver é compreender que somos perfeitos na nossa natureza. Não procurar outra coisa, ser outra pessoa. Nada de exasperação, nada de comparação.

Não se compare a nada, a ninguém.

Mergulhe na sua intimidade e entenda a sua natureza. É essa a verdadeira comunhão com Deus. O acesso à espiritualidade só é possível enquanto você está em paz com a sua natureza. A obra divina em você é perfeita. Reverencie a Deus, aceitando a sua natureza interior, jogando fora a moral falsa.

Esses dois distorcidos princípios morais levam o homem à depressão.

Como é que se vai gostar de alguma coisa com defeito? Como amar algo que consideramos ruim? Como é que se vai respeitar uma porcaria de segunda classe?

Como é que se atrai prosperidade, coragem para viver, energias positivas, estando entregue a uma corrente de pessimismo e desvalorização?

Insatisfeitos, seremos agressivos, ciumentos, invejosos.

Cada ser humano tem o tamanho ideal, o formato ideal para o que foi reservado por Deus. Nada é defeituoso.

Compreendendo a diversidade da natureza, entende-se que os "defeitos", se direcionados de forma certa, são positivos.

— Se você é violento, pode se tornar um ótimo policial.

Cada um é perfeito do jeito que é. Aceite ou não.

Nada faço pelos outros, não ando pelos outros, não me incomodo pelos outros.

A importância do outro é secundária. Eu sou o meu referencial.

Sou perfeito, não aceito modelos de virtude, não aceito modelos ideais, não aceito essas invenções dos homens.

Não aceito a ideia de que Deus errou.

Se eu estou errado, o errado é Deus, que, afinal, me criou.

É preciso compreender que dentro de nós há resposta para tudo. Que nós temos que ter a coragem de questionar, de pedir provas.

É preciso pôr à prova esses princípios que deixamos livremente dirigir a nossa conduta, o nosso comportamento, enfim, a nossa moral.

Será mesmo que nós somos tão imperfeitos como as pessoas falam, como nós nos imaginamos?

Será mesmo que temos que viver pelo próximo, esquecendo e abandonando a gente?

É a nossa maneira distorcida de ver as coisas da natureza? Ou temos que viver aquilo que Deus colocou dentro de nós, a nossa sensibilidade, a nossa percepção, o nosso sentimento?

Quando todos perceberem que uma das causas dos males humanos são esses princípios, vocês entenderão que não estou brincando, não.

Jogue-os fora, tire-os de sua vida.

Embora pareça contrário aos seus princípios morais, eu garanto que na prática os resultados são felicidade, alegria de viver.

Nos momentos de calma na vida da gente, que aproveitamos para a reflexão, começamos a entender as coisas que nos vêm perturbando, incomodando. Entender que na vida não adianta procurar nada fora de nós.

— Eu *tô* chegando a essa conclusão, sabe? Tem nada fora. Ó, gente, *tá* tudo dentro.

Quando eu vejo esse povo todo correndo para cá e para lá, uma atrás da atenção do marido, outro atrás da promoção na carreira para ganhar mais poder e dinheiro, até a criançada querendo um brinquedo, todos enfim querendo, querendo e querendo...

Quando eu vejo esse povo correndo atrás, fazendo um drama danado, se desesperando no querer, eu penso:

— Ai, meu Deus. Só "ai, meu Deus" mesmo.

"Eu não posso ficar sem carro, sem isto, sem aquilo", valorizando demais as coisas do mundo, levando muito a sério a posse.

Quanta ilusão ainda no mundo. Todos procurando só a grandeza, o dinheiro, o poder, a posição social e também o amor, o amor do parceiro, do filho, do amigo. Todos querendo tudo. Mas todo mundo só anda procurando as coisas fora de si. Acham até que Deus está fora e ficam a rezar, a pedir, a fazer promessas, trocas.

Tudo fora de si.

Consigo mesmo, voltar-se para dentro de si, bem poucos.

Bem poucos reconhecem que dentro deles reside o celeiro de Deus que alimenta, que provê.

É o abandono.

O abandono neste mundo é uma tristeza, mas é banal, corriqueiro.

Está em todas as classes sociais, em todas as classes culturais, em todas as casas, em todas as cabeças e corações.

As pessoas se desprezando, se inferiorizando.

Triste abandono.

Triste porque a gente sabe que todas as pessoas são ricas e passam miséria, têm o banquete e passam fome.

E quem é que convence vocês da sua riqueza?

Quando eu digo: "Ô, minha filha, desperta para o seu tesouro", é para te lembrar do seu potencial aí dentro de você, latente, esperando ser explorado.

Mas falta amizade por você mesma, a amizade que vai fazer com que você cuide de você e olhe para você mesma. Entendeu?

Quantas vezes você se põe para baixo, no pior?

Não se cuida, não se trata e acaba avacalhando com você mesma?

Você se mima com caprichos, cuida com piedade do seu "sofrimento", exagera nas cores da sua desgraça, não se controla e não trata você mesma com amizade.

AMIZADE!

Meu Deus do céu, quando é que as pessoas vão despertar para a amizade por si mesmas, esquecendo de procurar a amizade e o benquerer dos outros?

Quando é que vamos entender que deste mundo nada se leva, nada se tem?

O que temos está dentro de nós e somente para nós.

Cada um é o bastante para si mesmo.

O que está faltando no povo todo é reflexão, pensar seriamente no que você representa para você mesmo, no que é bom e necessário para si.

"O que é você para você? Quem é você para você? O que é que você está fazendo para você?"

Você.

Eu vivo falando em você. Já perceberam, não? Mas é de propósito, para lembrar que não tem ninguém mais importante no mundo do que VOCÊ.

O abandono é muito grande. E os problemas vão atormentando vocês. Vivem sempre falando dos seus problemas. Mas se forem lá no fundo para ver onde eles começam, será que têm a chance de resolvê-los? Não sei.

O que eu sei é que, para tentar resolver o nó da sua vida, é preciso usar da amizade que você sente por você mesmo.

Agora, se você na verdade for seu inimigo, não sei se resolverá alguma coisa.

A maldade que volta é aquela que fazemos para nós mesmos.

Seria muito bom que hoje você decretasse o dia da amizade, o dia em que você promete ser seu amigo. O dia do grande momento.

O dia em que você começa a provar que vale alguma coisa, que é importante e que pode realmente contar com você mesma.

Pois vai contar com quem? Com o povo à sua volta? Com os seus amigos?

As desilusões que você já sofreu foram suficientes para entender o que estou dizendo, não?

Você só pode contar para sempre com você mesmo.

Até para ter fé e força, para confiar em Deus e para esse mesmo Deus poder manifestar na sua vida os seus poderes infinitos você precisa de você. Precisa da sua fé em você, da sua amizade por você mesmo.

Então, para Deus agir, ele espera que o dom mais precioso do mundo, a autoamizade, floresça em você.

Pode ser que a partir desse dia da amizade você até escorregue nas suas ilusões. Mas certamente vai estar mais atento e não haverá mais quem te pegue.

É pela confiança que brotou dentro de você.

Nasceu uma confiança e uma amizade, em você mesmo, muito poderosa.

Como essa amizade é poderosa!

O mais importante é que perderá o medo, claro.

Você sabe que pode contar consigo mesmo, afinal está do seu lado.

Você tem a posse de você mesmo, o controle, a certeza de que a amizade vai crescer. Não é de um dia para o outro que se consegue uma "amizadona". Ela é construída, trabalhada, cuidada.

Depois, depois vem a surpresa melhor.

Você resolve não mais se meter na vida dos outros para ajudar. Você percebe que só se intrometia e na verdade não ajudava nada. Estava só fugindo dos seus problemas, se metendo nos problemas dos outros.

Não tenha medo de se responsabilizar por você mesmo.

Dentro de você há o poder dado por Deus. E quando não estiver enxergando soluções, não peça para Deus resolver, mas sim para ele mostrar o caminho, para ele te fazer ver. E Deus mostra desde que você, quando pedir, esteja pronto para escutar.

É de interesse do universo que nós cresçamos. Assim, ele nos mostra onde está nosso ponto fraco, o nosso ponto forte, a solução.

Tudo está caminhando no melhor, na visão do divino.

Ser seu amigo é lutar pelo seu melhor, conquistando a sua independência.

Na hora da dor, não há amizade externa que a amenize. O máximo que conseguimos é uma pessoa para nos ouvir. Mas a dor é só nossa, intransferível para outra pessoa. Então, o amigo que verdadeiramente vai suportá-la é você mesmo.

Só você pode suportar a dor do seu amigo você.

Não há nada melhor que o carinho e o reconhecimento consigo mesmo. O reconhecimento das suas alegrias e das suas conquistas.

Aprenda a fugir do abandono.

Não abandone o seu espírito nas tentações da vida.

Cuide-se para não cair.

Vou falar para vocês de um jeitinho simples para se equilibrar com a ajuda da autovalorização. Fazer a prosperidade fluir melhor, ganhar mais dinheiro, progresso.

O dinheiro vem de acordo com a autovalorização. E autovalorização é ser a essência, agir de acordo com a sua verdade. Não ser definitivamente somente aquilo que vai agradar aos outros.

Enquanto as pessoas continuarem a agir para os outros e em nome dos outros, para o externo, exercitando uma falsa bondade como moeda de troca, "o bem atraindo o bem", as coisas não acontecem, não.

Não se iludam achando que, fazendo o bem hoje, amanhã serão providos por aqueles que foram ajudados.

Quem provê é Deus, minha gente.

Nada de servir ao homem procurando recompensa amanhã. Isso só vai criar cobranças e ressentimentos, pois quem hoje você ajudou muito certamente não vai te estender a mão amanhã, quando o necessitado for você.

Trabalhe para o Deus que está dentro de você, assim você será provido, defendido. Não tenha medo do ódio dos outros por se negar a ser conivente com os seus caprichos. Aja com a sinceridade do seu coração, sem ligar para os outros, sem querer agradar aos outros.

A sua verdade interior vale mais do que tudo. E o exercício pleno dessa sinceridade é a linguagem de Deus.

Não se desvalorizando, você evita que todas as coisas importantes para a sua prosperidade escapem do seu destino. A sua energia capta no universo as oportunidades de ganhar dinheiro, a compreensão dos outros das suas qualidades e possibilidades.

É preciso alimentar essa energia. Com ela, você atrai pessoas e situações propícias para o crescimento.

Acreditem que há pessoas com tão boa energia, com tão boa autoestima, que, mesmo não fazendo tudo muito bem feito, as coisas acontecem, são requisitadas, a prosperidade floresce.

Quando não se tem atitudes erradas na vida, a sorte vem. A sorte não é uma mera coincidência aleatória, não.

A sorte é uma bênção.

Bênção não cai do céu, é provocada por nossa atitude.

A valorização, por sua vez, não é parametrada pela comparação de você com os outros. Ser melhor ou pior é o exercício da vaidade.

Autovalorização é o exercício da humildade. Humildade não é se rebaixar, não.

Ser humilde é ser livre, não ter medo de nada, nem do mundo.

É preciso doar para a gente mesmo, senão tudo que conseguimos é pouquinho, miséria, esmola.

Cada ato diário de se dar a si mesmo é retribuído com dádivas cada vez maiores. Dando só para os outros, a fonte seca.

Você é merecedor, não transfira para o outro o alimento da sua fonte, aquele que Deus separou só para você.

Você deve estar se perguntando: "Mas se eu não der para o outro, estou sendo egoísta, não estou sendo justo, bom, cristão."

Não é assim, não.

Porque, se você estiver nessa dúvida, você está dando tudo por obrigação, dirigido pelos valores da sua cabeça.

Doar é um impulso do coração. Doa-se sem culpa, sem receber paga, recompensa ou elogios. Gratuitamente.

Quando você estiver preparado para dar sem pensar em nada, doe tudo. Pois estará doando a Deus na forma de um necessitado.

E esse ato de bondade feito ao mundo será pago por Deus.

Se você receber dos homens, Deus não paga, pois não se trabalha para os homens, e sim para Deus.

Toda vez que eu me aproximo da Terra, de vocês, eu fico a pensar sobre toda a agitação que existe no mundo.

Tantas aflições, tanta busca, tanta atividade desse povo, tanta procura.

O povo todo está à procura também de uma nova filosofia, de um novo discurso, de um novo modo de pensar. Enfim, de um caminho diferente para viver melhor.

Há muita agitação, muito questionamento, desejo de desmontar as mentiras muito antigas, que estão aí há séculos. O homem revendo filosofias que já estavam engavetadas.

Muita procura. Boa procura.

Graças a Deus, é hora de despertar para reinterpretar a vida, já que as coisas não estão muito agradáveis.

Mas seja qual for o caminho que o homem tome, seja qual for a filosofia, o pensamento e o desenvolvimento que as boas cabeças pensantes forem discernindo, há uma coisa que precisa ser compreendida pela humanidade.

É a chaga do orgulho.

O orgulho é a pior chaga do ser humano, que necessita ser banida da cabeça de todos.

Caso contrário, não haverá sossego na alma, não haverá paz.

O orgulho é aquele monte de ilusões que moram na nossa cabeça. Aquele sentimento que reforça o Eu no mundo, que desvia o Eu para um lugar impróprio. Eu ilusão.

O Eu ilusão-sofrimento que desilude, ofende, machuca, que cria Raiva.

E o que é essa Raiva?

Por que é que Deus colocou esse tipo de energia no ser humano e nos animais também?

E por que é que depois de criada, passado tanto tempo, ainda reside em nós, se sabemos que a natureza na sua sabedoria vai eliminando da humanidade tudo aquilo que não serve mais? Que Deus vai cortando fora?

Na evolução das espécies, sabemos que tudo aquilo que ficou inútil para a humanidade foi indo embora da natureza. E que a natureza foi se aperfeiçoando, se atualizando para colocar tudo no melhor.

Mas a raiva, geradora de tanta violência, continua aí.

E é hora de parar para perguntar o porquê, compreender o porquê desse sentimento em nós. Desse forte e perigoso impulso.

— *Vamo entendê*, então.

A eletricidade é uma energia muito forte, que pode ser muito perigosa, a ponto de matar com uma descarga. No entanto, o homem aprendeu a dominar essa força e fazer bom uso dela, tornando-a imprescindível na sociedade moderna. Ela move tudo, e sem ela tudo para, uma cidade, um país, o mundo.

Então a gente tem que compreender que, apesar de ser uma energia muito perigosa, tem funções muito nobres.

A raiva é também uma energia forte e, consequentemente, perigosa. É uma das manifestações do orgulho que, sem controle, mais gera violência.

A gente precisa conversar um pouco sobre isso. Pelo menos começar a mostrar para vocês que a natureza não erra, que tudo tem função vital.

Como o dinheiro.

Sim, porque o dinheiro pode ser a desgraça do homem. Mas isso depende do homem, não do dinheiro.

Se o homem é inteligente, ele faz do dinheiro uma energia, um motivo de progresso.

Se é um desviado, é capaz de matar.

Mas o dinheiro não tem culpa.

Vocês devem estar ansiosos para eu falar da raiva, mostrar como ela pode ser uma coisa positiva.

Na verdade, a raiva é apenas um efeito. Na sua base, existe uma energia que se chama domínio.

Autodomínio, manifestado pela coragem, pela força de se manter firme diante de uma situação desafiadora, perigosa. Diante da luta pela manutenção dos propósitos da nossa alma, do caminhar da sua vocação.

E a força que sustenta a convicção da alma é a força do domínio. Essa força está associada ao sistema imunológico, ao sistema de defesa não só do corpo, mas também da alma e da mente, evitando a entrada de agressões e cargas energéticas negativas.

Quando, então, o homem é ameaçado, esse sistema reage para combater a ameaça. Essa força de domínio "sobe" para o combate, para se defender.

É aí que a raiva começa a atuar.

Acontece que pouca gente sabe compreender essa energia e muitos perdem o controle sobre ela.

Uns seguram a energia da raiva no estômago, no peito, na garganta, enfim, em várias partes do corpo, não sabem o que fazer com ela.

Acabam jogando a energia contra eles mesmos, entrando em depressão, se magoando, somatizando doenças.

Outros, mais agressivos, jogam-na para fora de forma brusca, vendo o agressor como um inimigo que precisa ser combatido com violência.

Exercem a força de domínio sobre o agressor, acreditando que, dominando o outro, neutralizam a agressão.

Mas eu quero chamar a atenção para essas duas atitudes.

Nenhum desses caminhos é o certo.

Nem a energia para a violência contra o outro, porque o inimigo não é o outro.

Nem manter no seu corpo, porque o inimigo também não é você.

O inimigo é o seu orgulho, criado na sua cabeça pelas suas ilusões.

O orgulho que faz com que qualquer ameaça tenha repercussão exagerada dentro de você.

O que na verdade ameaça os fracos é a possibilidade de ter o orgulho ferido pelas opiniões contrárias, é valorizar o que vem de fora.

Se você estiver centrado, com o orgulho longe da sua cabeça, não haverá ameaça externa — por mais que você seja provocado pelos outros — que te atinja.

Nesses momentos, então, quando a "ameaça" surgir e a raiva se manifestar, seja sábio. Pegue a sua raiva pelo invasor e lance-a sobre o seu orgulho, destruindo-o.

Converse, dialogue: "Olha aqui, orgulho, não me venha encher a paciência. Isso é pura ilusão, e não sou homem de me levar por fantasias. Ninguém é importante a ponto de me ameaçar. EU É QUE SOU IMPORTANTE. SAI!"

E dialogue com raiva, com bastante raiva. A raiva transformada em energia de domínio.

Liberte-se do orgulho.

A natureza colocou dentro de nós uma força de domínio, mas não para exercer agressividade. É para nos dominarmos, para tomarmos posse de nós mesmos.

Se vocês finalmente entenderam que essa força veio para isso, se aprenderem a usá-la, a raiva, energia tão execrada, se tornará uma aliada para o seu equilíbrio.

Use a raiva somente para destruir o seu orgulho.

O ser humano tem que aprender a se proteger com os instrumentos que Deus lhe deu.

E se Deus os deu, ele não interfere, fica apenas esperando você usá-los de modo adequado.

Não há nada de errado na natureza.

O erro está no uso inadequado das energias, dos dons.

Faça o seu melhor. Compreenda. Aceite a raiva.

Se sentir raiva, é porque está se sentindo invadido. Mas o invasor nunca é o outro. O invasor é sempre o seu ponto fraco que reforça o outro.

O invasor é o seu orgulho.

A vida é boa para quem prefere o bem.
E você aí, vai preferir o bem também?
É assim que é viver: somando. Eu ando somando muito por aqui, tudo no bem, por minha opção.
Eu optei pelo meu coração.
A gente tem que ter resistência contra o mal que ronda o nosso pensamento.
Mas vocês por aí têm o pensamento muito bobo, achando que não podem fazer isto ou aquilo, com medo de estar fazendo coisa ruim. Não jogam fora os pensamentos ruins.
Cada coisa que vão fazendo, vão logo levando para o lado ruim, e a coisa vai crescendo dentro de você até o ponto de colocar todo o mundo dentro da sua ruindade.
Tudo é pose. Você se põe numa situação tão sem graça que a vida acaba perdendo a graça também.
É a danada da vaidade tolhendo você, que quer ser sempre a bonita, a gostosa.
O que você está precisando é mesmo de uma boa sacudida para ver se acorda e entra no bem. Nada como um bom susto para te colocar na linha.
Vai sofrer um pouco e depois volta para a vida.
Eu fico vendo esse pessoal sacudido mundo afora, esse pessoal que já levou uma boa sambada, já pagou um preço

alto pelas vaidades. Estão agora jogando tudo para cima, levantando a cara, tocando a vida para a frente.

Reagiram, sacudiram a poeira e não se lembram mais de bobagens, não têm tempo para chorar, fazer beicinho, se sentir menores.

Que remédio, para quem ainda não aprendeu?

Um pouco de humilhação.

As pessoas estão precisando que Deus apronte uma bem grande, para arrasar mesmo. Daquelas de perder todos os dentes da boca.

Eu aqui continuo sem os dentes que perdi aí na Terra, quando ainda não entendia das coisas. E, minha gente, continuo sem dente para sempre me lembrar o quanto esta boca aqui fez de maldade. Esta falta de dente me lembra sempre.

Além de me lembrar das coisas aí da Terra, a falta dos meus dentes mostra que já deixei a minha vaidade para trás.

Quero mais vaidade, não. Essa danada só me fez fazer bobagens e sofrer.

E não quero me iludir aqui. Eu estou bem, mas ainda não tenho toda a força que eu gostaria de ter. Fico ainda convivendo com essa vergonha de não ter dente, para que a vergonha me discipline.

Se bem que aqui no astral eu posso ter os dentes de novo. Quase tudo aqui é possível.

É uma bênção. Sofrimento é uma bênção. Tudo que queremos mandar embora da nossa vida é bênção, porque nos faz aprender, nos faz crescer.

Todas as noites, antes de se deitar, você tem que agradecer a Deus pelos sofrimentos que você vem passando. Sofrimento é superação e a porta para o entendimento.

— Não me tira essa prova, não, meu Deus. É com ela que eu vou conseguir me libertar, é com ela que eu vou chegar à felicidade, é com ela que eu vou aprender a largar todas as besteiras que me atormentam.

Além do mais, essas provas não foram dadas por Deus. Foi você que as tomou sabe lá de onde.

Tenho que falar assim com vocês. Me desculpem, mas, como sou amigo de vocês, não posso ficar de ais, ais e jogar confete. Estou tentando levar o meu melhor para vocês.

Meus amigos aqui no astral dizem para eu largar vocês, deixar as coisas como estão, porque o tempo é o melhor remédio, o melhor professor.

Apesar de achar que eles têm razão, eu acho que, se der uma mãozinha para vocês, as coisas melhoram.

Deus sempre permite que mensageiros deem a sua inspiração e, como sei que tem quem me ouça, vou praticando e repassando tudo que aprendo aqui.

Eu estou do lado do bem. Optei pelo bem e a minha vida está bem.

Colho o que plantei e continuo a cultivar no dia a dia.

A maior defesa deste mundo é o bem.

Se estão fazendo e aprontando, é porque a sua faixa mental ainda permite, ainda está afinada com o errado.

Nossa cabeça é como um aparelho de som: você sintoniza onde quer.

Você vê o que quer ver.

Mas nada neste mundo é ruim ou bom, já sabemos disso. Depende apenas de como essas coisas nos atingem.

A doença pode nos levar a reflexões e nos alertar sobre as nossas falhas, nos recuperando, nos elevando.

A saúde pode nos levar aos vícios, ao abandono do corpo, às desatenções, pois nos esquecemos de cuidar do que está bem.

Nada é bom, nada é ruim.

Nós é que transmutamos as coisas de modo a nos servir ou nos destruir.

Somos os responsáveis por essas atitudes, pelo modo como interagimos com as situações. De nada adianta botar a culpa no mundo, pois quando chegar a hora você vai ter que se enfrentar.

É a lei. Aprende-se por amor ou pela dor.

Não há exceções. A vida é igual para todos e cada um segundo as suas obras. A batalha interior tem que ser vencida. E quase sempre é o sofrimento que leva a essa batalha.

A felicidade, por mais que a queiramos de graça, tem que ser conquistada por méritos próprios.

A chave da felicidade, da prosperidade, é aprender a administrar as nossas incompetências e limitações. E a incompetência mental é a mais perigosa de todas, pois qualquer má sintonia significa sofrimento, desafio.

Não seja inocente: o aparente, o fácil é sempre uma parede que esconde vaidades. Abra os olhos para não tomar caminhos errados, que não têm mais volta.

Não tem perdão de Deus. Deus não condena. E se não condena, não perdoa.

Deus fez a Lei e não interfere.

Desde que o mundo é mundo, Deus vem mandando mensageiros para mostrar os caminhos. Mas a maioria da humanidade ainda se debate no desentendimento.

E é tudo tão simples, está tudo dentro do seu coração e fora das ilusões da sua cabeça.

A escolha será sempre sua.

Como em todos os tempos, tem muita gente falando de Jesus Cristo.

Coisa bonita viver e falar de Jesus.

Hoje em dia, cada vez mais o povo está aí atrás das suas mensagens, procurando a luz crística e a sua inspiração. Inspiração que resulta na cura, na renovação e na esperança.

Por séculos essa energia vem provando ser capaz de atuar na nossa vida, sempre em nosso benefício.

> Cristo é uma coisa muita bonita.
> Muito poderoso.
> Sua luz é linda.

Ele é um conjunto de forças tão intenso e tão atuante que, quanto mais nós nos entregamos a ele, mais nos fortalecemos.

Mas falo de Cristo para falar dos homens.

Os homens que andam pensando que o Cristo é deles, apregoando que o verdadeiro Cristo está na sua igreja, na sua crença, na sua facção.

Então eu aviso: "Cristo não é de ninguém, não. Cristo é ao mesmo tempo de todos e de ninguém".

O Cristo é das prostitutas, da adúltera, dos homossexuais. É do pobre, do rico, do vagabundo, do trabalhador.

Não está preso em nenhuma igreja, em nenhum culto, em nenhuma dissidência. Não é exclusivo, e sim amplo, diverso.

Por isso, vamos viver e entender que não existem diferenças nem prioridades. Nem a posse, nem a soltura.

Nem o bem, nem o mal.

Essas mentiras são apenas o fruto da arrogância humana, pretensão de quem se julga melhor, de quem se julga diferente.

Podemos estar comungados na força crística para sempre, bastando para isso despertarmos para ela. Despertar e conseguir nos manter na postura ideal para que ela flua na nossa vida, apreciando os mandamentos da paz do bem humano, não nos sentimentos de egoísmo, de cobiça, enfim, sentimentos da nossa maldade.

Mas há muita gente por aí se vangloriando em nome de Cristo.

Para uns, a sua igreja é melhor; para outros, o seu culto é o ideal; e para aqueles, o seu centro espírita é dono da mensagem.

Todos querendo impor a sua verdade em detrimento da dos outros.

Todo mundo querendo ser o maioral, todos querendo ser ou ter a maior igreja.

Daqui eu olho e aviso: "Cristo não é de ninguém, não. Nem de protestante, nem de crente, nem de espírita, nem de católico, de ninguém".

Cristo é de Cristo.

É assim: ele é dele, como Deus também é de qualquer um, mas o princípio é "Deus é Dele mesmo".

E estamos irmanados em Cristo e em Deus. Somos uma grande família encarnada neste planeta.

Somos todos irmãos.

Somos irmãos entre nós, somos irmãos dos ladrões e dos cafajestes, dos pretos e dos brancos, dos vagabundos e dos trabalhadores, dos abandonados e dos acolhidos, somos irmãos, enfim, de quem gostamos e de quem odiamos.

Por mais que você não goste disso, tem que aceitar.

Vamos sair da ilusão, minha gente, e entrar fundo na realidade. Somos todos irmãos e todos merecemos o mesmo respeito, a mesma consideração.

A consideração e o carinho dispensados a qualquer pessoa do seu ambiente social devem ser estendidos àqueles que você, na sua pose, classifica como inferiores.

Classes sociais, classes culturais…

Níveis diferenciados…

Mas somos todos farinha do mesmo saco, minha gente! São vocês aí redividindo a natureza de Deus.

— Não adianta falar mal do preto, porque você vai ver onde é que vai parar. Pretinho, retinto. Lá no morro, na favela. Vai ficar lá, logo, logo. Espera só reencarnar…

Na natureza divina, não tem essa de bom que vocês querem passar. Como também não tem essa de mau.

Essa divisão está no olhar dos homens, não na natureza de Deus.

Está na sua pose, na sua "panca", na sua vaidade, na sua falsidade.

Vamos voltar para as coisas do Cristo.

Vamos voltar para as coisas do bem que são só nossas.

Vamos acreditar que o bem pode ser conquistado, sustentado e mantido dentro de nós sem medo, com liberdade.

A libertação está em conquistar o nosso quinhão no celeiro divino e viver com suas bênçãos sem se importar com o outro, com os olhos do outro. Mas é também viver sem criar diferenças que excluam todos os outros enquanto irmãos e frutos da criação divina.

Viver é conquistar a liberdade espiritual e sustentá-la na alma, sem medos.

Quando uma criança é acometida de uma doença, a nossa primeira reação é de preocupação com os cuidados médicos, seguida de um questionamento: se aprendemos que as doenças são atraídas por nós, por nossas vibrações, por nossa falta de sintonia com a verdade e até pelas nossas vaidades, como pode uma criança, ainda sem discernimento, ser vítima desse mal físico?

Pode, minha gente.

Além das causas cármicas, necessárias para o nosso crescimento, uma criança pode ser vítima de uma mágoa, de uma decepção amorosa ou afetiva com ela mesma ou com alguém do seu convívio social.

É preciso, então, estarmos atentos.

Tentar descobrir, enfim, o que desencadeou esse envenenamento e por que essa criança não conseguiu se libertar, desenvolvendo a doença.

Resolve-se com conversa, revendo com a criança a vida pregressa de vocês, entendendo os fatos para tentar tirar as mágoas, os machucados.

E ensinar. Ensinar a criança a ver as coisas da vida de forma positiva, ativando o conceito do perdão e do afastamento dos rancores, porque certamente ela está mergulhada nesses conflitos.

Quando as crianças começam a interagir com a família e com a sociedade, elas mergulham em um mundo ainda desconhecido, cheio de armadilhas e de contradições. E se incomodam.

Às vezes, se magoam por ter vergonha do seu jeito de ser, que consideram diferente.

Outras questionam demais, se criticam demais e passam a não gostar do que pensam ser.

Nessa fase, as crianças são sensíveis e imaturas para assumir conceitos sociais e acabam se fechando em si, criando uma falsa ideia do mundo.

Uma falsa ideia das exigências do mundo.

É preciso ensinar as crianças a se fortalecerem, ficar ao lado delas e entender a sua verdade em confronto com as verdades sociais, que na maioria das vezes são apenas conceitos inteligíveis.

Explicar que a sociedade é importante, mas não a ponto de interferir na sua individualidade, que não deve se sentir diminuída enquanto não se sente parte integrante.

Afinal, cada um é um ser com características próprias, mas socialmente somos todos iguais nas nossas diferenças. Ninguém é melhor ou pior. Uns mais autoritários, outros mais sensatos, mais calmos.

Que no final, ela, a criança, é dona do mundo dela, das suas coisas, das suas responsabilidades.

Sua criança, seu filho, precisa aprender a viver na sociedade com respeito, mas ao mesmo tempo, e principalmente, respeitando a si próprio.

Mas o melhor e maior ensinamento que podemos passar a uma criança é o direito que ela tem de viver na fonte de Deus, na fonte do coração.

Ter a consciência da existência da sua fonte interior e apoiar-se nela.

E isso é Fé.

A vida vai requerer, de todos os nossos filhos, a Fé. Que tenham Fé e coragem de buscar dentro de si tudo que precisam para a sua jornada aqui na Terra.

Não é preciso ensinar religião, frequentar igrejas ou cultos, mas ensinar as crianças a ter fé nas forças da natureza, nas forças interiores, para que a personalidade cresça com vigor, com segurança e com maturidade.

Temos que ter a consciência de que não há proteção contra o sofrimento.

Afinal, todos sofremos ou sofreremos.

A vida tem sofrimento porque sofrimento é educação.

Mas nós temos a obrigação de preparar nossos filhos também para esse sofrimento, se inevitável.

Na crença, na Fé, na segurança em si e na segurança em Deus.

O respeito pelos filhos é fundamental.

Preocupem-se com a verdade interior deles, não só com a sua saúde, com a sua educação, com a sua alimentação.

Preocupem-se sem pena, mas com consciência e vigor.

Sem mimar para proteger e transferir as responsabilidades só para você.

Fortaleça-os para irem em frente sem inibições, sem medos.

Sem gritos, com amor e compreensão.

Sem envergonhar, intimidar, castigar.

Não crie revoltas, pois seu filho é um presente de Deus, colocado perante você para que possa praticar o amor e o respeito.

Você é um educador frente a Deus. Uma parte dele é sua e a outra parte é de Deus.

Olhe-o por dentro, pelos valores dele, e não pelos seus valores e pelas suas expectativas.

Confie, finalmente, na inspiração divina para acompanhar a criação dos seus filhos, de acordo com a missão e as provas que eles trouxeram.

O seu filho é da vida, de Deus. Não interfira, apenas eduque-o na verdade.

Para nascer é preciso ter muita coragem.

Tem muita gente aqui que não aguenta, não! E na hora de reencarnar acaba provocando um aborto ou uma série de problemas para adiar tudo.

Todos sabemos que, para vestir a matéria outra vez, vestir essa roupinha pesada, é preciso pensar muito.

O enfrentamento do dia a dia, o começar de novo feito criança, submetendo-se à obediência, à dependência, recuperar aos poucos o entendimento do que você vai se tornar, exercer o poder sobre você mesmo e sobre a vida, e depois, ainda, o desafio da própria vida.

Aprender a se controlar, usando os poderes e os talentos mágicos que recebemos, olhar para dentro e perceber o que está acontecendo, o que estamos fazendo da vida.

É difícil, minha gente, mas é preciso enfrentar o desafio do viver, do crescer, até atingir todos os propósitos divinos.

Esse medo é infundado se o homem souber usar de todas as suas faculdades, de todas as potencialidades disponíveis no universo de Deus.

Saber usar o poder.

E eu aqui desencarnado, esperando a minha hora de voltar, vou aprendendo muito para esse retorno e, enquanto isso, graças à providência divina, vou tentando passar para vocês um pouco de conhecimento, um pouco de alento e esperança.

Nesse mundo em que vocês estão, tudo que fazem acaba aparecendo em sua volta, através dos caminhos da vida.

Através da Lei do Retorno.

O homem é o que acredita ser. O homem tem o que acredita merecer.

Tudo que a vida está trazendo para dentro de casa, todas as experiências, tudo... Se arruma ou perde emprego, se ganha ou perde dinheiro... Tudo vem da crença de cada um na verdade que foi abraçada, no tipo de moral assumida, nas atitudes tomadas.

Nadinha desse mundo, nadinha, pode acontecer com vocês sem que vocês mesmos não sejam a causa.

Você é a causa de tudo.

É um desafio viver.

E como somos meio cegos, meio infantis, pensamos que as coisas são casuais. Pensamos que tudo acontece por acaso, por sorte ou por azar.

Pensamos que existem privilegiados, com dons especiais, com beleza, família boa, dinheiro, oportunidades.

Que para uns as coisas caem do céu, enquanto outros são excluídos.

Cada um pode pensar no que quiser, escolher em que acreditar, nas velhas histórias ou numa nova história.

É o livre-arbítrio.

Cada um escolhe a sua crença, as atitudes a tomar diante da vida, mas no final todos se queixam, sem saber que são os próprios culpados pelo que está acontecendo, os próprios culpados pelas suas dificuldades.

O poder da mudança está dentro de você.

Tudo tem remédio. Mas é um desafio. É preciso ter coragem para enfrentar a si mesmo, acionando o seu poder.

Nesse universo em que estão, só o ato de viver é um ato de coragem, enquanto vivem tentando — mesmo que às cegas — dar um sentido à vida.

Mas usar todo o poder que vocês têm é tão complicado como dar uma arma a uma criança que, não sabendo manuseá-la, acaba sempre machucada.

Mas esse poder pode transformar tudo em sua vida.

Deus tem tanta confiança nos homens que, mesmo sabendo o quanto somos destrambelhados, nos presenteou com esse poder.

Acho que até exagerou!

Deus deu o poder, mas não deixou de tomar os seus cuidados. Junto ao poder, deu também a Lei e a Justiça, para que cada um possa seguir com as suas obras.

Vou aproveitar a ocasião e contar para vocês uma história de um amigo aí da Terra que me pediu ajuda para arrumar um emprego.

Este fato é para ilustrar melhor o que acontece quando vocês se afastam da sua verdade, do seu poder.

O rapaz não consegue arrumar emprego e eu fui assuntar com o meu mentor. Logo ele me disse que eu não poderia ajudar, que eu não poderia interferir no livre-arbítrio, na escolha das pessoas.

Me explicou assim, que a natureza não judia de ninguém, não prejudica ninguém, mas apenas reflete o que o homem procura, aquilo em que acredita.

Mas, para me convencer, fomos fazer uma visita à casa do rapaz para estudar, para entender melhor o porquê de tudo isso.

81

Chegamos lá e encontramos o homem no desespero.

Olhando para dentro dele, o meu mentor viu no seu subconsciente que é ele quem corta tudo, que tem medo do sucesso, que está cheio de resistência e preconceitos contra o dinheiro.

Alimenta um medo enorme do sucesso, pois acha que o sucesso e o dinheiro vão trazer sofrimento.

E sabem por quê?

O seu pai foi muito rico e perdeu tudo!

E reside nele um medo enorme de que tudo se repita: as humilhações, as vergonhas vividas na ocasião.

Na verdade, ele não soube perdoar a situação do pai. Continua humilhado, temeroso, revoltado, grudado naquele passado, sem capacidade de reverter em bons pensamentos, de confiar no sucesso.

Escolheu ficar na mesquinhez.

Não quer a prosperidade por medo de crescer e voltar a cair.

Nessa de se proteger das quedas, não quer se levantar. Fica no pequeno.

Foi a sua decisão.

— Como ajudar esse homem, Calunga? — perguntou o meu mentor.

Fiquei quieto, compreendendo que na verdade não se pode interferir numa escolha pessoal.

É, minha gente, é preciso perceber que está tudo à disposição de todos.

Basta fazer a escolha. O retrato do mundo interior das pessoas está refletido no seu mundo exterior.

Você é a sua casa, o seu carro, a sua família, o seu dinheiro, os seus negócios, o seu sucesso ou o seu fracasso.

Você é perseguido ou ajudado, é pisado ou admirado.

Tudo fala do que você acredita. Tudo mostra o que você é e o que escolheu ser por dentro.

Tudo em você é um cenário que reflete as suas crenças.

A matéria não tem vida própria.

A matéria é apenas um reflexo, uma poeira que toma a forma dos pensamentos.

A vida apenas segue o comando de suas ideias e atitudes.

Como não posso fazer milagres, como não posso e não devo fazer por vocês, eu tento explicar — e vou continuar nessa missão até Deus permitir — os caminhos, eu tento fazer com que vocês usem os seus poderes.

Pelo amor de Deus, não fiquem nesse sofrimento, buscando ajuda lá fora. Está tudo dentro de vocês, abram a sua cabeça, abram o seu coração.

Tomem a responsabilidade por suas vidas, reexaminem as suas crenças, os seus preconceitos, revejam os seus conceitos da verdade — será que é mesmo a verdade?

Acordem para o seu espírito, dominem os seus poderes.

Eu gostaria muito que vocês crescessem. Afinal, eu vivo com vocês e é muito ruim viver cercado de gente triste, acabada, de gente que se maltrata.

Meu coração exige que eu trabalhe para tentar melhorar o mundo.

Esqueçam esse conceito de provação, de carma.

Vocês é que fazem e atraem tudo com o seu pensamento. Se vocês foram capazes de fazer, serão capazes de tirar.

Há sempre a chance de mudar, a cada minuto.

E para quem não acredita no que eu digo, não quiser mudar, ficar atolado no sofrimento, se fazer de vítima para cumprir o ritual moralista das religiões, "sofrer na Terra para ganhar o reino do céu", eu aviso:

Não há mérito em sofrer martírios e sacrifícios.

Não pensem que, quando morrerem, serão adulados por aqui.

Estão enganados, pois sofrimento na Terra não é passe para o reino de Deus. Aqui não tem lugar para sofredor, perturbado, desviado.

Enquanto não tiver sucesso na Terra, não tem entrada no reino de Deus, pois quem não usa os seus talentos fica do lado de fora.

Vai voltar e viver tudo de novo, até aprender.

O mundo de Deus não é reduto dos miseráveis, dos pobres de espírito, dos que não aprenderam a viver com os bens materiais e com a felicidade.

Exerçam, então, o bem maior.

Tornem-se puros, abram os caminhos entre os homens, convivam com o sucesso e a prosperidade.

Deus os colocou na matéria para conquistá-la e dela usufruir.

Façam a sua parte.

Creiam no bem e vivam no bem. Só assim o mal não os atingirá.

O que vale é a atitude interior.
Você com você mesmo.

Todos estamos no mesmo processo de evolução, de conhecimento das coisas da vida. Estamos num momento de elevação, de domínio.

O domínio interior é muito importante neste processo evolutivo, enquanto aprendemos a controlar as nossas forças, as nossas emoções, sejam as manifestações de raiva, as energias sexuais, os impulsos de desejo, enfim, todas as nossas ações.

Do modo de lidar com o povo também. E olhem que o povo dá um trabalho danado para a gente. Como é duro viver com o povo, com todas as suas diferenças!

Um que quer uma coisa, outro pedindo um favor, um conselho, uma ajuda.

Tudo isso nos INCOMODA.

E eu vou dizer uma coisa a vocês: viver com tanto incômodo é uma arte, não?

Mas que saída nós temos?

Ou a gente aprende a conviver com isso — pois não dá para viver isolado do povo — ou fica a vida inteira brigando com todos.

Mas o que é "SE INCOMODAR", minha gente?

Se incomodar é abrir a sua aura para se envolver nos problemas das pessoas. É ficar sujeito às energias negativas das pessoas com quem vocês insistem em se envolver, pensando ilusoriamente em ajudar.

Desde pequenos, vocês são educados a se incomodar, a se interessar pelos problemas dos outros.

Ajudar.

Abrir o seu coração e ser útil.

Mas vocês não percebem que essa aproximação só os expõe às intempéries, às loucuras, às negatividades do mundo.

Nós não temos que nos incomodar com ninguém, não.

Nós não somos responsáveis pelos outros.

Para sermos bons e ajudarmos, a regra número um é não nos incomodarmos com ninguém.

É fechar o corpo, fechar a aura, não sentir nada por ninguém.

Se uma pessoa está com dor, com um problema difícil e pede ajuda, é preciso ser inteligente para "entender" o fato, mas não se envolver e "sentir" a mesma dor ou problema no seu corpo.

Entenderam?

Agir com inteligência e perceber se você tem alguma coisa para dar — inteligentemente — e, se não tiver, se calar.

Se você não tiver nada para dar, para resolver a situação, é porque você não tem nada com o problema

Aprendam que, se a sua inteligência indicar que não pode fazer nada, fique quieto, pois é para não dar mesmo. Deus não quer que você dê, que você interfira na situação.

Pense nisso: Deus não quer que você se meta.

Se envolver na vida dos outros é fácil, estamos condicionados a isso.

Difícil é arrancar da gente a carga que absorvemos deles, o veneno dos outros.

Basta já o nosso próprio veneno.

O fato de ser bom, de querer ajudar os outros é bonito. Sabemos disso.

Mas temos que querer o bem dos outros com esperteza, com consciência, sem nos envolver.

O caminho melhor é segurarmos o coração, deixarmos a pieguice de lado, a falsa bondade, a falsa caridade.

Ninguém ajuda ninguém, e essa atitude de "se incomodar" significa quase sempre a nossa falsa moral agindo, uma desculpa para deixarmos de resolver as nossas questões e nos ocuparmos das questões dos outros.

Não se incomode mais.

Exercite apenas a compaixão, que é fruto do amor.

Com amor, você não sente o que o outro está sentindo, não vive o problema do outro, não interfere, não assume a responsabilidade. Com amor, você fica quietinho e transmite energias para o outro descobrir a sua saída, a resolução dos seus problemas.

Não interfira, não se incomode com o sofrimento de fora, afinal

ninguém escapa do compromisso da evolução.

O homem tem muitos aspectos, tem muitos lados.

As partes física, energética, emocional, afetiva, mental.

Mas tudo isso é coordenado por uma parte muito mais importante, muito mais básica e superior.

É o aspecto superior do ser.

Ali todos os outros componentes são coordenados. Ali o nosso destino é dirigido.

Ali são feitas as curas ou as doenças.

Perceber que existe um nível espiritual está além da compreensão das pessoas, que só acreditam que é o raciocínio que estabelece a realidade.

Muito mais que pensar, imaginar, muito mais que entender com a inteligência mental, existe o espírito.

O espírito é na verdade a fonte de todo o saber, que é muito mais do que entender, do que compreender com o raciocínio.

Entender, perceber, articular a vida no nível da espiritualidade é começar a exercer a integração com o universo, é exercer o domínio sobre a matéria, é coordenar o destino, é relacionar-se com o equilíbrio.

É o exercício da paz.

Precisamos desmistificar a ideia da espiritualidade em nós.

As religiões tomaram conta da educação desses elementos importantes, muitas vezes nos confundindo, colocando preconceitos e ideias muito aquém da verdade da natureza. Queremos redescobrir a vida na realidade da sua concepção. Queremos ser naturais.

E precisamos descobrir que o nível da espiritualidade é o nível mais superior do homem.

Ali se estabelecem verdades profundas e imutáveis. Ali nós experimentamos a liberdade, o conhecimento direto da intuição, conhecemos o amor incondicional, conhecemos o poder da inspiração, da vocação, da arte e do conhecimento absoluto da compreensão que ilumina as ciências.

Ali nós nos dignificamos, nos tornamos superiores em nós mesmos e exercemos uma vida de felicidade e realizações. Longe está aquele que pensa, porque, se pensa, não vê as coisas pela perspectiva da espiritualidade e não pode conhecer a verdade. Apenas qualifica relações muito relativas e não conhece o absoluto da compreensão integral do universo.

Pois é, minha gente. Quem não está na espiritualidade está preso na matéria, no apego, no sofrimento e na dor.

Porque quem tem espiritualidade está liberto.

A espiritualidade libertadora é aquela que faz o homem compreender que necessita da elevação, o caminho para praticar a cura da vida, a cura dos vícios da matéria.

Se a vida do homem é composta de dor, de problemas econômicos e afetivos, enfim, uma vida de preocupações, é porque o homem não está integrado na espiritualidade.

A espiritualidade é a integração e a libertação de todos esses transtornos.

A libertação não significa o abandono, mas significa continuar a viver como um ser humano comum, cercado dos problemas comuns, mas com a habilidade de fazer com que esses problemas sejam vivenciados de forma a não interferir na vida, que sejam resolvidos com harmonia.

É preciso se integrar e se aprofundar no conhecimento do espiritual, abandonando a visão superficial da vida material. Tudo tem que ser visto pelos dois lados da vida, pelo lado superficial e pelo lado profundo.

O lado superficial é a materialidade, são as coisas vistas pelo lado mental, pelo raciocínio. Enfim, uma visão curta, pequenininha.

No lado profundo, está o estrutural, o grande, o geral. Aí está o lado espiritual.

No nosso lado profundo está a eternidade.

Os casais hoje em dia andam se desentendendo muito, criando muita confusão, muita infelicidade conjugal, muita separação.

Na verdade, o que tem mudado mesmo com os tempos são as separações, porque as pessoas também estão mais corajosas e menos dependentes e conseguem cair fora para tentar uma nova vida.

No meu entendimento, para o casamento dar certo, basta morar junto.

Sem mudar nada, sem se transformar em outra pessoa, sem exigir que o parceiro também se transforme.

Esse é o segredo.

Vocês namoram, ficam noivos agindo de um jeito, com uma personalidade.

Mas basta casarem para se transformarem. E nunca se transformam para melhor. Isso aí é pura traição, casando de um jeito, dormindo de um jeito e acordando, no dia seguinte à lua de mel, já outro.

Será que não dá para compreender que o teu marido te conheceu e te amou exatamente do jeito que era antes?

É preciso se manter sempre como antes para manter o carinho que despertou no homem (e olha que isso serve também para os homens).

Vocês sabem que às vezes eu fico pensando que deviam proibir o casamento às mulheres. Pelo menos do jeito que continuam indo para a casa nova.

Mulher casa e piora, não é verdade?

Que coisa é essa? Que coisa é essa na cabeça?

É na cabeça, não é a relação, não é a mulher, não é o marido.

Não é a vida a dois.

A mulher tem uma cabeça ruim para casar que é um inferno. A mulher casa e quer virar outra, se impor, infernizar a vida do marido — e depois a dos filhos. Quer fazer e desfazer, quer porque quer que a casa seja igual ao modelinho que ela criou na cabeça, que sonhou quando solteira. Sempre diferente da casa da mãe, que ela sempre criticou.

Torna tudo um inferno, mudando tudo e querendo inclusive mudar o marido.

Mas sabem o que é preciso para ser tudo diferente e viver em paz?

Bom senso!

Ficar sempre no melhor. E o melhor é simplesmente o que você era quando solteira, então reassuma o que era.

Reassuma aquela pessoa alegre, apaixonada, sonhadora, bonita, que acreditava na felicidade.

Jogue para fora a ilusão do paraíso fácil, sem luta, sem doação, sem compreensão.

Todos esses problemas de que você reclama surgiram depois do casamento, são fruto da sua postura interior, da sua incapacidade de lutar contra as frustrações dos seus sonhos. E sonhos egoístas, já que você não contava nunca com o marido que estava casando.

Com o marido real, não aquele que você romantizava com a ideia sempre absurda de que "depois de casado, ele muda, vai ficar do jeito que eu quero".

O casamento não pode mudar ninguém.

É só o ato de morar junto, mais nada.

E se vierem os filhos, é só criá-los.

Criá-los como professora, sem virar mãe.

Porque, se Deus deu filhos, é para vocês educarem e orientarem. Nada de virar aquela coisa horrorosa que vocês imaginam que é ser mãe.

Minha gente, se o casamento não vai bem, não é o caso de se desesperar, não. Só precisa voltar ao seu melhor, lembrando que num determinado momento vocês fugiram de vocês mesmas para embarcar numa viagem ilusória. Casamento não é viagem, não.

Tem que ser apenas o encontro de duas pessoas que se amam, se respeitam e só desejam a felicidade.

Tudo muito simples para vocês compreenderem.

Ser superior.
Como é importante na vida ser superior.
Mas não falo para vocês dessa superioridade no sentido pejorativo da palavra, que vem com jeito de arrogância, esnobismo, orgulho.
Não quero nem ouvir falar dessa superioridade que campeia aí entre vocês. Falo da superioridade da gente, interna. Daquela que supera a mediocridade do mundo, a ignorância das pessoas.
É uma beleza, minha gente, quando as pessoas conseguem, dentro de si mesmas, ficar sempre comungadas com os seus princípios mais nobres, nunca cedendo às tentações e às provocações.
Eu sei que há no mundo uma tentação enorme, não é fácil.
Eu sei que as pessoas estão a todo instante competindo, concorrendo entre si, sempre querendo induzir umas às outras aos erros, para que todos sejam iguais na deformação do espírito.
O danado do ser humano perdido, descontrolado, não se conforma em afundar sozinho; ele quer sempre tentar o outro, tirar o outro da calma, do equilíbrio.
É o modo que eles têm para se sentirem aliviados e até desculpados da sua loucura, da sua irreverência perante as leis, da sua infantilidade espiritual.

Prestem muita atenção nesses falsos amigos. Eles não se cansam de testar o seu equilíbrio emocional, querem saber se você é dono de si mesmo, se você é homem de opinião e força interior, ou se você é um banana que se deixa levar e seduzir.

A cada novo conhecimento, você é testado. O danado chega sedutor, te coloca em situações difíceis: ele precisa saber se você é uma galinha morta ou se tem tutano. Quer saber se pode te dominar ou ser dominado por você.

Claro, pois existe um tanto de gente que quer e precisa ser dominada.

Há tipos de todos os jeitos e comportamentos.

Temos que conviver com todos, sabendo, com inteligência, deixar passá-los na nossa vida sem, contudo, permitir sua interferência.

Sendo superior a eles.

Não se deixem envolver, mas compreendam as fraquezas deles, pois, ao contrário do que querem mostrar, não são espertos, e sim solitários e amargos.

Pequenos.

Não confiem na aparência, porque, atrás dos olhos astutos de raposa, na verdade existe apenas uma pessoa na escuridão da própria desgraça. Estão assim na depressão e atolados em problemas, por não resistirem às tentações.

Coisa antiga tudo isso.

Se voltarmos para as escrituras, tudo já era assim, no tempo de Cristo e antes dele. E quantas advertências vêm sendo inspiradas pelos mestres para não cair em tentações.

O pai-nosso, por exemplo, é uma das mais importantes preces do cristianismo.

Estou falando tudo isso, minha gente, para que vocês se mantenham alerta, comungados sempre com a sua luz interior, integrados na superioridade, assegurando a vocês um mundo de paz, de alegrias.

E essa força está disponível dentro de nós, na nossa fé, nas nossas crenças.

Eu acho uma beleza quando o ser humano compreende e assume as forças crísticas.

Essa força que está sustentando os homens que procuram não cair nas tentações.

Essa força que está nos conduzindo para a dignidade do ser, para a honestidade de ação.

— Vamos conversar, então. Vamos tentar aprender como se situar neste mundo, onde parece que todos estão contra todos.

Primeiro, tem que ter respeito ao próximo, principalmente àquele que, estando na ignorância, tenta te armar uma arapuca, uma ratoeira, para você perder aquilo que você conquistou e ele inveja.

Respeitando, você se coloca acima dessas energias, não se misturando e não sendo atingido pelas descargas ruins que cercam o invejoso, o ardiloso.

Quem fica comungado com as suas forças crísticas cria uma barreira que impede que energias primitivas o atinjam.

Entendam que não estou falando para destruir essas pessoas — afinal, já fomos como elas, ou às vezes ainda somos —, mas para exercitar sua fé perante elas. Sua fé estendida abre um canal de purificação sobre energias destoantes.

O que significa isso, minha gente?

Significa COMPAIXÃO.

A compaixão é o sentimento que nos possibilita compreender a ignorância do próximo sem atacá-lo, sem julgá-lo e condená-lo.

A nossa compaixão nos reserva a postura de não nos envolvermos com as ações externas que pretendem nos atingir, nos provocar.

Ficamos, assim, imunes a essas provocações, voltados que estamos ao nosso espaço crístico, ao nosso espaço de fé espiritual. Fé que nos inspira e nos protege. E nos dá coragem e dignidade a ponto de, se recebermos um tapa na face, darmos a outra face para apanhar.

Esse ato, inspirado nas energias crísticas, não é de covardia ou submissão, mas uma atitude de coragem, de coragem de não ser pequeno, de não valorizar o ato de agressão. O ato de não cair na desculpa da defesa, gerando a mesma violência.

Uma demonstração de superioridade dessas mostra apenas que não somos melhores que os outros. Mostra que somos moralmente dignos de uma ação de bondade, de uma compreensão maior.

De compaixão.

Uma bondade silenciosa que não se anuncia, que não faz alarido.

E a sua aura vai se tomando de calma e serenidade, as pessoas vão sentindo e se envolvendo, vão receando te atacar.

A sua energia impede invasões, impõe respeito.

Só as pessoas dignas impõem respeito.

Vamos responder a Deus pelos atos que estamos praticando, frente à consciência existente dentro de nós e frente à Lei maior, divina, da mesma forma presente dentro da nossa alma. E a resposta é a maneira de nos despertar para a verdade.

Temos dentro de nós a célula do lar, da união, que nos faz membros de uma sociedade maior, nos faz responsáveis por cada elemento da humanidade.

Essa responsabilidade se manifesta no cumprimento da Lei, fazendo de nós seres imbatíveis e aptos a usufruir da verdadeira felicidade.

Não falo para vocês de uma sociedade como um conjunto de leis ou como um corpo político, mas estou falando de sociedade como natureza instintiva, de contatos humanos, que é a base biológica da existência.

Não falo de pequenas convenções sociais, mas da necessidade humana do convívio, de nascermos um pelo outro, de estarmos um pelo outro, da interdependência.

Da necessidade de implantarmos, cedo ou tarde, as verdadeiras leis do amor e da fraternidade.

Uma sociedade justa e composta de homens superiores depende tão somente do exercício das forças superiores disponíveis a todos, sem exceção.

— Calunga, o meu filho está desempregado, o que é que eu faço?
— Eu *vô* também te *desempregá*! Vô te *desempregá* do emprego de mãe. Será que *ocê* vai *aceitá*?

É sempre assim, minha gente. Não tem nada pior que mãe, cabeça de mãe, preocupação de mãe.

Os filhos estão todos criados, encaminhados para a vida. É hora então de aposentar a chuteira e arranjar outra coisa para fazer na vida, todas aquelas coisas que foram deixadas, adiadas, para se dedicar à família, aos filhos.

Vocês, mães, já trabalharam a vida inteira e não têm por que ficar com mais esse encargo.

— Não me venham com a história de que já estão velhas demais para recomeçar. Isso é bobagem.

O importante é saber o que o coração quer. Tem qualquer coisa para vocês começarem a aprender, qualquer coisa boba que seja, mas para vocês mesmas. Já é hora de deixar a sinfonia do tanque de lavar e deixar tocar outra música na vida de vocês.

Não se enganem: não existem problemas com o seu filho, nem com o seu marido. O problema mesmo é com vocês.

Não fujam, não desviem. Vocês fugiram tanto de vocês mesmas há tantos anos, que se esqueceram de voltar e resgatar o que ficou adormecido.

— Sabe como é: quem é mãe, dona de casa, se dedica. Depois, passa a necessidade de olhar pela casa, os filhos crescem e ela fica por aí, sem saber o que fazer da vida, só se metendo na vida dos filhos.

Se metendo na vida dos outros, em vez de aproveitar essa energia para cuidar de suas vidas.

A terceira idade é a época espiritual de retorno, de resgate. Época de aproveitar a vida, viver com largueza, amparada na experiência. Anos de se aprofundar nas coisas da alma, anos de sabedoria.

As preocupações têm que ser jogadas para trás dos tempos e vocês devem apenas agradecer a Deus por ter ficado tanto tempo na Terra, pelos tempos de aprendizado.

Mas se o aprendizado não foi suficiente e a insegurança estiver rodeando vocês, é preciso atentar para o seu orgulho. Sua insegurança é o orgulho, orgulho de mãe, de esposa.

— Muito pancuda você é. Larga isso, que você já não tem nem mais cara para fazer pose. Você tem é mais que ser uma velha gaiteira, safada, com muita risada solta, com muita alegria.

Fazer o que gosta, voltar a se cuidar como nos tempos de solteira, resgatar de dentro aquela moça bonita e livre. Afinal, o espírito não envelhece.

Parem de se voltar para quem não precisa mais de vocês. Seus filhos não estão aqui na Terra para realizar as suas ilusões, para fazer o que vocês não tiveram a oportunidade de fazer.

Se o filho é estudado, preparado e não arruma emprego, o problema é dele. Agora, não transfira. É melhor que vocês voltem a estudar e se preparar como ele se preparou. Assim, vocês se realizam — não com um emprego para o seu filho.

— Eu aqui estou certo de que, no momento em que ele conseguir um emprego, vocês arrumam outro problema para se preocupar. É a sua infelicidade que a faz se esconder atrás do desemprego do seu filho.

Cumprida a sua missão de mãe e educadora, quem merece estar numa boa situação são vocês, não seus filhos. E não estão porque não se cuidaram e deixaram as coisas chegar a esse ponto de aflição pelas "coisas do filho".

Agora, vocês também podem estar se sentindo culpadas, se cobrando.

Mas culpadas por quê?

Não souberam preparar os filhos para a vida, achando que bastava apenas uma boa escola?

O que é que ensinaram sobre desafios, independência?

— Acho que nada. Criaram os filhos como uma galinha choca, protegendo, mimando, fazendo todas as vontades, nunca dizendo não.

Então, agora ele não sabe o que fazer com o diploma e precisa da ajuda da mãe para continuar a viver. Não sabe como "se virar" sozinho.

É a história de cada um.

Cada um tem que viver a sua verdade, vencer os seus desafios.

Parem de atormentar seus filhos com essa vibração de aflição e cuidados fora de hora.

Entreguem em oração, de volta a Deus, os filhos que Ele lhes deu.

Deus lhes deu os filhos para serem educados por vocês, mas agora deixem que Ele faça a sua parte.

Minha gente, a maternidade é uma coisa muito bonita, muito nobre. Realmente absorve muito nos primeiros anos. Mas os filhos crescem e vão ser independentes.

Então, acabou, e o papel de mãe tem que dar o lugar ao papel de amiga.

Temos que nos tornar apenas amigos dos nossos filhos.

É preciso ter senso de oportunidade e saber o momento de se libertar dos compromissos maternais quando a missão for encerrada.

As obrigações e os deveres foram cumpridos, e é hora de voltar para si e fazer o que esqueceu de fazer nesses anos todos, principalmente aquilo que o espírito necessita e quer.

A idade madura é brilhante e rica de possibilidades. É o momento de largar o passado, de aceitar que as funções de mãe acabaram.

É empurrar para a frente, sem se comprometer com o destino dos filhos.

Agora é a sua vez.

Tudo, tudo mesmo, de que você precisa neste mundo para ser feliz está aí, à sua disposição. Você tem apenas que procurar, estar atento, fazer um esforço mental, estudar, ler.

Se você procura, você melhora, venho sempre falando isso.

Preste atenção à sua volta e veja quanta gente está se superando, se transformando à custa de muita dedicação.

Portanto, minha gente, se você está empacado aí, tem que começar a olhar em volta, muito bem olhado. Você tem que começar a usar o que sabe, o que vem aprendendo nos cursos que faz, nos livros que lê, nas coisas todas que a vida vem te mostrando. Alie-se ao seu esforço interior e vá para a frente.

Você sabe como são as coisas: às vezes sabe-se muito e não se usa nada, ficando eternamente amarrado nos problemas. Achando que sabe como resolver por fora, mas continua a deixar como está por dentro.

E esse é o pior problema, o nó que amarra a todos.

Ninguém quer manipular os sentimentos, com medo do que possa ser exigido, de se machucar com as mudanças necessárias. Ficam todos jogando a culpa no mundo, porque é mais simples. Assim não machucam ninguém e ficam todos iguais a todos nas reclamações.

Daqui de cima, eu fico vendo esse povo todo dobrando o joelho, caindo na vida, sofrendo, pelejando que é uma coisa só.

— É porque o outro que falou, o outro que quer, o outro que pediu, o outro isto e aquilo.

Olha, minha gente, já até passou da hora de acabar com essa mentira. Chega de correr atrás desse dever de agradar, de cuidar de um, de cuidar de outro.

Vocês precisam é ser verdadeiros, se impor dentro de si, valer alguma coisa para vocês mesmos.

— *Vamo matá* a sede da dignidade, *pra mor* de não *permiti* essa invasão, de não *permiti* que *as coisa* de fora e *os outro* venha a *atrapalhá* a vida.

Essa peleja toda é por vocês serem muito tontos, muito fracos, se deixam levar por essa mania de ser bons, de se fazer de bom.

Mas é tudo uma encenação de vocês, uma falsidade danada essa coisa de ser bom. Falso porque vocês não têm coragem de impor a sua verdade, a sua vontade. Tenho certeza de que, se vocês não tivessem medo de ser chamados de intolerantes, vocês passavam a cuidar mais de vocês.

— *Vorto* àquele mesmo assunto que acho bom falar sempre. *Tô* sempre alertando *ocês*:

É muita vaidade, muito orgulho, muita loucura. É querer se fazer de santo, de manso.

Ficam aí nessa falsidade e não impõem a verdade, a vontade interior. Se negam.

E quem se nega não tem jeito: será negado sempre. Os caminhos vão se fechando, a vida fica naquele sofrimento, naquela insatisfação, nas dificuldades.

Não adianta a gente continuar se enganando, pois a nossa essência pede que olhemos muito por nós. Só essa falsa educação, essa "bondade" que impuseram dentro da gente é que nos faz ficar no outro, preocupados com o outro.

O outro é o mundo — família, amigos, conhecidos e desconhecidos. O outro é aquela ideia de sentimento comunitário. O outro é a aparência, é a mania que temos de fazer "média" com o externo.

Mas vamos deixar de conversa mole, vamos responder ao que o nosso coração pede, mesmo que timidamente.

O coração pede por nós mesmos, ao contrário do sentimento social, que nos empurra para o outro.

Vamos deixar de muita oração, muita prece, muita conversa complicada de espiritualidade vazia, e agir como um ser verdadeiro, ansioso por encontrar a paz, a harmonia.

Esqueçam os ideais de tolerância, esqueçam os nomes feios, como a prepotência, como a arrogância.

Tomar conta de si não é um pecado.

Olhar para os outros, tentando ajudar, não é um defeito.

O que não é correto é só ficar no outro, fugindo de vocês mesmos, não sendo responsáveis por si.

Para essa consciência tomar conta de vocês, é preciso exercitar a humildade.

Humildade, ao contrário do que vocês imaginam, não é se rebaixar, não.

Humildade é ter a sabedoria suficiente para perceber que vocês não têm o poder de interferir na vida dos outros, mas têm a obrigação moral de se voltar para dentro de vocês e CUIDAR DE VOCÊS.

Não tenham medo de ser chamados de egoístas por estarem centrados nas suas necessidades. Compreendam que vocês só poderão ser úteis ao mundo quando o seu mundo interior estiver em harmonia.

Por enquanto, vocês estão apenas cuidando do mundo de fora por achar que não têm capacidade suficiente para cuidar de vocês, para fazer um dengo para vocês.

Quando vocês saem do seu ser superior para viver a história dos outros, vocês acabam sempre se rebaixando e entrando na energia daquele "coitadinho que precisa de ajuda". Ficam dominados pela energia negativa do "coitadinho".

— Eu só me curvo diante da minha vida, diante do poder superior da minha alma e dos meus anseios interiores, mas do povo... Ah! Diante do povo não me curvo, não! Eu, Calunga, curvo não! Não me curvo, porque o povo, de modo geral, não está bem, não quer estar bem.

Vamos nos curvar apenas àqueles que estão em um grau superior de evolução, seja na manifestação da alegria terrena, seja na espiritualidade.

Vamos entender que o povo ainda age como criança, não tem educação interior. Se nos envolvemos, caímos juntos e vamos para o chão.

Não estou falando que devemos nos tornar eremitas, nos escondendo de todos, negando a existência do mundo e dos seus problemas. Não é isso, não, minha gente!

Nós não devemos nos abalar, nos envolver com tudo e com todos, viver na carne a doença do outro, o desemprego do outro, a loucura do outro.

Quero dizer, não devemos assumir a dor do outro como se fosse nossa, não devemos assumir o problema do outro como se fosse nosso.

Essa atitude é a mais infantil de todas: o problema é multiplicado, vai passando de um para o outro. Ninguém resolve nada e todos caem no chão.

Percebam que, se preocupando com a provação dos outros, vocês passam a valorizar o outro e a menosprezar a si mesmos.

— Mas, Calunga — vocês estão aí se remoendo —, como é que a gente faz, então? Como é que a gente se livra dessa fantasia de querer sempre ajudar o outro?

— Muito simples, viu, gente. É só praticar o exercício da elevação.

Elevar-se é sair da falsa humildade, da farsa que é ter complexo de inferioridade, sair dessa coisa que é pôr o mundo lá em cima e vocês cá embaixo.

É inverter, virar de cabeça para baixo os seus valores sociais, que fazem com que vocês priorizem a opinião e a vontade dos outros em detrimento das suas.

Agora, minha gente, vou ensinar um exercício de elevação para ser praticado sempre que vocês se sentirem tentados a sair de vocês para viver a história do outro. Pratiquem sempre, pois, para se livrar de vícios, é preciso ter muita dedicação, muita persistência.

Comece concentrando-se, colocando todo mundo que você conhece lá embaixo.

Você acima, sempre acima.

Todo mundo pequenininho: o patrão, o marido, a esposa, os filhos, a família, os amigos, a sociedade, tudo e todos.

E mentalize:

"Qualquer coisa é menor do que eu, porque eu tenho que subir, tenho que me elevar. Eu não posso ficar aqui embaixo aguentando o que não é meu. Não quero esse bloqueio, não quero essas encrencas."

Continue subindo feito um rojão, você no alto.

Jogue todo mundo para baixo, vá se livrando de todos os que te infernizam.

Desse alto, olhe o povo todo lá embaixo, gritando, chorando, exigindo que você desça para junto deles, para dar a ajuda que eles querem.

Aproveite o momento e jogue lá para baixo essa pessoa que existe dentro de você, essa pessoa cheia de complexos, preocupada com o mundo.

Vai, joga fora a feiura que você pensa ter, joga os problemas do corpo — que doença que nada, que feiura que nada.

Joga tudo para baixo e fale:

"Nada mais vai me atormentar, estou acima de tudo. Acima das coisas triviais, dessa pequenez, estou acima da matéria, acima da vontade e da necessidade dos outros. Estou acima dos conflitos da vida. Eu sou perfeito. Eu deixo a luz da perfeição me envolver, porque eu estou na perfeição divina."

Sinta que, quanto mais você sobe, mais as energias pesadas vão se soltando. Perceba que os conflitos, os medos e as preocupações vão se diluindo, sumindo. Nada de tormentos, nada de responsabilidades.

"Estou acima de tudo. Sou livre aqui no alto."

Sinta o alívio, sinta a leveza que te envolve.

Compreenda que o peso existe quando você abaixa e carrega as coisas dos outros

Quando vamos para cima e lá lidamos com as coisas do mundo, vencemos as energias negativas, vencemos as exigências de todos.

Cada um de nós tem que responder, diante da vida, à responsabilidade que nos foi dada.

A resposta é tirar as cargas ruins que vamos absorvendo dos outros, deixando o coração cada vez mais livre.

Temos que nos sentir reis dentro de nós.

Ser rei é ser superior em si mesmo, não interessando ser superior aos outros, pois a superioridade sobre os outros é apenas a demonstração de que somos vassalos do orgulho.

Vamos reinar apenas no nosso mundo interior, jamais reinando sobre ninguém com a intenção de exercermos a prepotência.

No universo divino só há lugar para quem se curva, para quem rasteja.

Deus quer todo mundo no alto, exatamente ao lado Dele.

Afinal, Deus é rei e só criou reis.

Esse exercício vai aos poucos fazer vocês compreenderem o exato tamanho das suas responsabilidades: um grão de areia frente ao que você carregava sobre as costas.

Daí então vocês poderão passar a relacionar-se com o mundo exterior de uma forma mais poderosa.

Poderosa porque serão capazes de exercer a compaixão, traduzida numa forma de estar próximo ao outro, mas não no outro; numa forma de apenas ajudar e não se envolver na energia do problema a ser resolvido; numa forma de aconselhar e orientar o outro, e não fazer pelo outro.

Numa forma impessoal de viver.

Cada vez mais está complicado viver.

O mundo anda complicado demais, os homens andam perdidos por não saberem direito como agir com tanta dispersão de ideias e exigências.

As instituições sociais mostram-se decadentes e num ritmo rápido de transformação que mais confunde a todos.

Um período de muita insegurança, onde não há um ponto de referência, de apoio.

Há uma crise de confiança no governo, na polícia, na escola, nas religiões, enfim, não dá mais para confiar em nada, não é, minha gente?

Sobra ao homem na verdade apenas o conforto do seu mundo interno, do seu coração e a certeza da eternidade.

Somos, todavia, mais do que esse ambiente externo e, por mais difícil que as coisas possam ficar, existem maneiras de sairmos dessas dificuldades, maneiras de lidarmos com esse mundo em constante mudança.

No passado, por várias ocasiões, esse planeta já passou por momentos igualmente difíceis e, certamente, hoje é só mais uma crise e tudo passará, tudo será vencido.

É preciso apenas ter um pouco de paciência.

A vida é eterna e há muita inteligência cuidando de tudo, por todos.

Com essa compreensão, devemos sossegar, sem desesperos e pessimismos.

— Mas enquanto a gente vai vivendo no *mior* que pode, eu *tô* aqui um pouco preocupado. Porque tenho nesses *últimos ano* conversado com muita gente. O povo vem *pedi* as coisa *pra* gente aqui no astral, sempre pra *resorvê* uns *probreminha, principarmente das coisa* de acerto e desacerto do coração.

Como isso é importante para o ser humano!

O povo vive falando que quer dinheiro, briga por posição social, luta pelas coisas materiais, pelo status.

Mas quando tocam nas coisas do coração, acabam-se todas as preocupações, caem por terra todas as diferenças e ficam todos iguais.

Todos se alinham no mesmo problema, rico e pobre. Todos se tornam uma coisa só:

— *Tá* todo mundo na carência, mas todo mundo *qué* mesmo é um amor.

Todos querem experimentar uma relação íntima.

Todos querem viver ou reviver aquele momento em que ficamos mais felizes, mais delicados, mais sensíveis.

Momento de experimentar o prazer do toque, da carícia, o prazer do calor humano possível entre duas pessoas que se amam.

Vocês aí nesse planeta estão se confundindo muito com as coisas do amor entre pares, do amor entre dois, me parecendo que ninguém fica com ninguém por medo.

Mas é preciso namorar. Quem não namora vive na tristeza, na melancolia, porque o homem, por natureza, necessita de amor, de contato físico, de fazer fluir a energia da atração.

Com tanta evolução tecnológica, com tanta explicação científica, ainda não foi tirada do coração do homem a sua vontade — e capacidade — de amar o outro.

— Vão passar *os ano*, mas nós *vamo continuá* com o coração carente, doidinho pra *namorá*. É do *home*, minha gente. Não adianta *ocês achá* que fazendo filho em proveta vai *acabá*, não. *Tá* na essência do *home* a necessidade de *namorá*.

É da essência humana essa busca, essa aproximação. É do social, afinal somos bichos sociais.

Mas por que tanto desencontro? Por que as pessoas optaram por desviar a energia afetiva para o trabalho, para as atividades sociais, tentando acobertar o desejo?

Acontece que tudo está mudando nas relações humanas. Antigamente, o amor era posse. O marido era posse da mulher, a mulher era posse do marido. Naquele conceito em que ninguém era livre.

Está tudo mudando, mas vocês pararam no tempo achando que nada mudou nas relações afetivas e que o amor ainda é posse.

Não pode ser assim. Ninguém mais precisa ser inteiro de ninguém.

— *Vô tê* também que *ensiná ocês* a *namorá*...

Vou falar para vocês que, quando quiserem namorar gostoso, ser nutritivo o relacionamento, com poesia, tem que ter romance, tem que vir da alma, tem que vir do seu melhor.

Namorar é um ato de liberdade, pois o amor é a expressão da vida.

É através do amor que vem a união e a procriação. É dele que vêm todas as movimentações e os gestos mais belos da humanidade.

Não podemos sufocar esse sentimento.

Deixem-se namorar.

Sem mandar, sem cobrar, sem possuir.

Conviver afetivamente não é tomar posse de alguém, mas apenas viver um tipo diferente de amizade entre duas pessoas. Uma boa amizade dura a vida inteira porque você respeita e dá espaço para o amigo.

Mas quando vocês se envolvem com namoro, ficam muito pessoais e egoístas, querendo imediatamente segurar o parceiro, exigindo toda a atenção. Muita pressão e cerceamento de liberdade.

Vocês destroem rapidamente a possibilidade de uma amizade direcionada ao afeto, ao carinho, ao relacionamento físico.

Não se pode querer dirigir a vida da pessoa com quem estamos envolvidos, afinal todos nós estamos em processo de desenvolvimento, todos temos momentos na vida em que precisamos de outros ares, de outras companhias. Não somos também completamente desenvolvidos — embora perfeitos no grau de evolução em que nos encontramos —, o que não nos torna completos e seguros dos nossos valores e necessidades do amanhã.

Temos fases emocionais que não sabemos resolver, que desafiam nossa inteligência e nossa segurança, como também desafiam as nossas promessas.

Quem é que pode cumprir as promessas do coração? Não sabemos como estaremos amanhã, as situações pelas quais vamos passar.

Prometer amor eterno é perda de tempo.

Se formos sinceros de verdade, ofereceremos ao namorado apenas o que temos no momento, viveremos o momento com delicadeza, com sinceridade, com sensibilidade.

Que seja apenas um momento revestido de algo bom, porém sem expectativas, sem amanhã.

De nada adianta começar um namoro e já ficar preocupado com o "será que vai dar certo?" É um absurdo pensar no amanhã, já querendo segurar, prender a pessoa no seu egoísmo.

Pois então, minha gente, vocês têm que abrir o coração para perceber que toda a relação de namoro deve ser como uma amizade. Uma relação sem exigências, com liberdade para crescer, para experimentar, para viver no mundo cercado de todos, vivenciando todas as experiências.

Amar é dar liberdade ao outro de ser ele mesmo, de experimentar as suas vontades.

O importante é que teça uma corrente de amizade, sem que essa corrente se torne uma algema.

Vocês aí se casam, colocam duas algemas nos dedos e acham que isso vai garantir o seu futuro emocional, que a aliança é um grilhão que tira vocês do mundo para viver apenas para o parceiro. Aliança não é algema.

Ninguém quer algema, ninguém quer prisão.

O espírito é livre.

Nós nascemos com o sentimento de individualidade, e o que essa individualidade não tolera é o cerceamento do espaço para se expressar, a impossibilidade de colocar para fora aquilo que a natureza nos presenteou originalmente, que é a necessidade fundamental de busca.

Eu espero que vocês tenham compreendido que é necessário abrir a mente e olhar de lado. No seu círculo, certamente há muita gente pronta para esse tipo de amizade, de namoro, isto é, gente pronta para exercitar a liberdade com alguém que ame, com liberdade.

É tempo de um novo tipo de encontro, de pessoas independentes, com o coração livre para uma boa conversa, para uma troca de afetividade que não reprime, mas que encoraja e expande.

Só tome do outro
o que o outro te oferecer.

A gente aqui no mundo astral conversa muito sobre as pessoas aí no planeta Terra.

As pessoas são muito boas, boas demais. Mas sabem, com a mesma intensidade, ser ruins. São opostos que convivem juntos, refletindo sempre a educação que a alma recebe, a evolução do espírito de cada um.

Se você tira o melhor delas, como são maravilhosas, mas também, se você vai lá e as inferniza, aí acaba tirando o seu pior e as coisas ficam de amargar.

Todo mundo é assim: depende de como a gente chega, de como a gente se relaciona. Os outros vão sempre nos dar a medida do que acreditamos ser.

E é bom puxar o melhor das pessoas para que tudo fique em harmonia.

Mas como tem gente que acredita no medo, na condenação, na crítica, na esnobação, vivem muito orgulhosos, muito acanhados, muito cheios de vergonha, vergonha e mais vergonha. Vergonha de viver.

Vergonha é orgulho, minha gente.

Vão vivendo no meio dos outros, sempre com problemas e, então, desde o começo, vão dando o pior de si e recebendo o pior dos outros.

É uma servidão esse orgulho, porque a pior coisa que o homem pode fazer é pedir esmola. Ficam o dia inteiro pedindo amor, pedindo atenção e carinho aos companheiros.

Pedindo, pedindo... coisa feia! Coisa de quem não se dá o valor, que não se levanta. Que tristeza!

Queixas só servem mesmo para atormentar vocês e os outros. Coisas de quem não acredita numa vida de bem e está atolado em crenças negativas.

Bom de ver são aquelas pessoas que já têm compreensão da vida e já vêm inteiras, com boas conversas, com boas intenções, sem pedir nada.

Pessoas que têm a esperteza do positivismo, boas coisas no coração.

Essas, sim, dão o melhor de si e acabam recebendo em troca o melhor dos outros.

É assim que temos que viver, no positivismo, para o povo ficar bom, para o mundo ficar melhor.

Tudo pode ser modificado.

A consciência do homem negativo pode ser alterada, porque nada é definitivo, tudo depende do modo como se veem as coisas.

Minha gente, a conversa agora é sobre o NADA É, tudo depende dos olhos de quem vê.

— Como é o seu olho? Como é o seu modo de olhar? Você olha criticando, achando defeito, achando falta de alguma coisa, ou você olha bonito, olha bem?

Para umas pessoas é assim: qualquer coisa vira um problema. Mas problema é na verdade o modo de olhar. Olhou de jeito difícil, tudo fica difícil. Mas olhou com os olhos livres, tudo fica fácil.

Para quem escolhe olhar o mundo dessa forma, com o olho "difícil", os caminhos se fecham, o fluxo da prosperidade não se abre, porque reflete uma cabeça trancada, fechada, cheia de conflitos, uma encrenca só.

O seu mundo é uma luta, vive numa ansiedade que não o deixa parar para nada, obedecendo a uma cabeça que só sabe mandar, cabeça de escravo.

— Se *ocê* é um desses que *zoiam* errado, *tá* na hora de *repensá* e *i* pro bem, *mudá* a sua relação com o mundo pra *podê dá* e *recebê* sempre o *mior*.

Vocês têm que pensar em estabelecer disciplina interior, livrar-se de suas fantasias, adquirir liberdade e coragem para viver. Quem está no pior é porque procurou o pior.

Olhem os exemplos que os cercam, de pessoas maravilhosas que vivem sempre no bem, irradiando alegria, alegrando todo mundo.

Deixem de ser aqueles chatos que incomodam todas as pessoas quando se aproximam; aqueles inconvenientes que só recebem o pior dos outros, pois os outros querem se ver livres de vocês.

Está na hora de vocês pensarem em fazer algo por vocês.

Não adianta ter um bom coração se não tiver um bom olho.

Não são problemas que existem na vida, são apenas situações.

A vida é ação, movimento.

Fatos que tomam a proporção que nós queremos, dependendo de como os enfrentamos, de como "os olhamos".

São movimentos na sua vida que exigem uma ação resoluta ou a criação de um problema que vai refletir o seu grau de vaidade, de orgulho.

Na vida, não podemos ser pretensiosos, é preciso ser modesto.

A modéstia não é se tornar pequenininho, não ser nada.

Modéstia é saber ficar no exato tamanho daquilo que somos, seja o tamanho que for.

Somos apenas o que somos, perfeitos em nosso grau de evolução.

O que nos faz maiores ou menores são as nossas ilusões ou os nossos medos.

A vida é uma aventura, e não podemos brigar com ela, pretendendo demais ou se valorizando de menos.

O nosso olhar deve ser sempre dirigido para o bem, para que possamos criar um campo de energia positivo.

Assim, não ficamos presos em desejos e ambições que não fazem parte das nossas conquistas interiores.

Eu já fiz a minha escolha: estou com Deus.

Não acredito então em nada que possa me pegar, nada de coisa ruim na minha vida. Nem quero saber das coisas ruins que rondam por aí.

O mundo superior me quer aqui, junto a Deus, para que eu possa exercer uma influência boa, positiva.

Deus quer a gente assim, como soldado, empunhando a luz para fazer frente à ignorância.

Deus quer que a gente participe da sua criação com confiança e fé.

O chamado de Deus para esta corrente não é só para desencarnados, não é só para quem está no astral, não. É para todos.

Principalmente para vocês aí na Terra que têm fé, que têm a vocação para perceber o chamamento divino.

É por isso que, às vezes, você é colocado em situações de desequilíbrio, tendo que passar por coisas desagradáveis — é para você exercer o seu conhecimento, praticar as suas virtudes, se fortalecer e principalmente cooperar com Deus.

Nós todos vivemos pedindo ajuda a Deus: "Ai, meu Deus, me ajude aqui, me ajude ali". Deus ajuda, você sabe, mas depois, quando Ele precisar de ajuda, vai recorrer a você.

Ajudamos naquelas situações em que pensamos estar acontecendo alguma coisa errada e que nós estamos também errando. Mas estamos, não.

A gente na verdade está ali amparando, segurando, servindo de canal para fazer frente de luz, frente de força e demonstração de fé, não deixando as trevas caminharem e perturbarem o mundo, perturbarem as pessoas que estão vivenciando aquela situação de conflito.

Em todos os lugares a ignorância está se movimentando, querendo envolver as pessoas. Cabe a nós que temos fé ajudar a Deus.

Deus trabalha e se manifesta através dos mensageiros, e nós, como sua criação, somos também parte do seu exército, ainda que com pequenos poderes. Mas esses pequenos poderes são uma enormidade no universo em que vivemos.

E, no jogo de receber e doar, nós somos assim chamados vez ou outra para sermos soldados, sermos sentinelas.

Somos sentinelas naqueles momentos em que tudo parece estar caindo, mas nós, sustentados pela nossa fé, dizemos: "Aqui está tudo caindo, mas comigo não vai cair, porque eu sou a luz, eu sou a fé e a força".

Esse testemunho vai nos identificando com a verdade e nos leva à comunhão com Deus. Nessa hora é que conta o nosso equilíbrio, a nossa paz.

Ser soldado é ser exemplo, é viver de cabeça erguida nos momentos de dificuldades, mostrando aos mais fracos, aos menos elevados a força da fé.

Há muitas maneiras de Deus nos colocar para fazer frente à Sua verdade. Muitas vezes não suportamos a situação e podemos até cair.

Mas a queda será sempre o impulso para a manifestação das nossas forças e superação de obstáculos. Se ficamos na fé, aquilo logo passa e tudo volta a caminhar bem.

Pois é, minha gente, vejam como são as coisas. A gente se coloca sempre numa posição de injustiçado por Deus quando certas situações nos atingem e nos desagradam.

Então falamos: "Isto é provação, isto é carma", dando um sentido de castigo. Mas não é, não.

Essas situações são as oportunidades de superação pela fé, são circunstâncias em que podemos mostrar verdadeiramente que somos parte daquele batalhão de soldados de Deus.

Nada é ruim na criação divina, nada é errado, nada acontece para nos punir. Tudo faz parte de um universo harmonioso onde optamos por ficar paralisados ou nos tornar um terminal de luz capaz de transmudar.

Naquelas situações de conflito, quando todos estão atirando pedras, nós, os soldados, perdoamos. Falamos do perdão, falamos da compaixão.

Afinal, atacar é fácil; agora, ser o atacado é o inferno.

Portanto, vamos entender que as forças espirituais superiores pretendem que a gente, que tem um pouco mais de conhecimento, tenha uma atuação um pouco melhor. Que não atiremos pedras, que não critiquemos, que não sejamos veículo de discórdias. Não podemos ficar presos às queixas negativas, ao pessimismo das pessoas, mas sim ser agentes da palavra conciliadora.

Quanto mais a gente participa da obra divina, mais Deus se aproxima da nossa vida, como um intercâmbio, com os benefícios do intercâmbio. Quanto mais a gente coopera, mais as forças divinas se afeiçoam a nós e nos ajudam nas horas das nossas dificuldades.

Claro que as dificuldades continuarão, afinal estamos num período de aprendizado e de crescimento, mas serão dificuldades compreendidas e superadas pela nossa força interior em sintonia com o divino.

Preste atenção sempre nas dificuldades que aparecem na sua vida e perceba se é ou não uma nova chamada para você ser um esteio de luz e de paz. Não reclame, não sofra, pois é sempre mais uma oportunidade de crescimento colocada por Deus.

Não feche as portas para o chamado de Deus, observe onde há discórdia para você levar a paz, onde há maledicências para você colocar a pureza, a bondade. Observe que essas situações estão à nossa volta o dia todo, com muito serviço para nós.

Não deixe para dar o seu testemunho de fé a Deus somente após recorrer a Ele quando você necessitar; testemunhe sua fé no dia a dia, nas situações que aparecem involuntariamente na sua vida e que você confunde com provação. Não são provações, são a sua chance de se alistar no exército de Deus.

A vida é repleta de coisas boas.
Que a vida é boa, é boa, não é minha gente?
Mas a bondade da vida é preciso saber saborear.
Viver com grandeza, viver com expressão, com intensidade. Viver com a cabeça trabalhando em harmonia com o coração.
Viver é uma chance constante de crescimento e um grande desafio para todos nós.
Um desafio diante de si, onde as nossas ideias e o nosso poder dirigem as nossas atitudes para escolhermos a maneira de ver as coisas, de ver o mundo.
Uma possibilidade constante de exercer nosso direito ao livre pensar, ao livre ser.
E às vezes nós ficamos pensando como é que ainda tem muita gente que consegue ver as coisas de uma maneira derrotista, fatalista, sem tentar compreender a vida, sem tentar entender os detalhes de cada momento, as várias possibilidades de cada situação.
Na verdade, essas pessoas ficam é meio viciadas numa só maneira de ver e não conseguem enxergar outros pontos de vista possíveis.
Pois, para se libertar das coisas difíceis, é preciso que a gente dê muitas voltas, vá analisando todos os lados da

questão, para enxergar as coisas daqueles outros ângulos, ter uma nova compreensão e descobrir o passo que é preciso dar.

E modificar tudo, descobrir aquela saída que nem imaginávamos existir.

— Então *taí*, minha gente. Não adianta achar que para cada fato da vida existe apenas uma possibilidade de compreensão, pois uma só definição, uma só saída é muito pouco para cada fato.

Na realidade, essa possibilidade única para resolver o fato é coisa da cabeça do homem, que enxerga apenas a desgraça, a malvadeza, que enxerga só as coisas ruins.

Mas se a pessoa virar um pouco o ângulo da questão, ela acaba enxergando muito diferente do que antes via, já começa a compreender de outra forma.

— É aquela história, né, minha gente. Quando somos crianças, vemos tanta coisa, e depois de grandes já vemos tudo diferente, com os olhos da experiência.

A vida é muito rica e cada um de nós tem um modo de ver. E esse modo de ver reflete apenas a realidade momentânea, de acordo com o nosso amadurecimento intelectual e espiritual.

Uns veem as situações difíceis como um desafio a ser superado, outros já as veem como grandes problemas sem solução.

— Esse é um grande desafio, que bom! Eu vou usar o melhor de mim e vou vencer.

— Que problemão, como é que eu vou sair dessa?

Cada cabeça uma sentença — como vocês dizem aí — é uma verdade. Cada um escolhe o seu modo de deitar o olhar sobre as circunstâncias da vida. Depende da flexibilidade mental, aliada ao amadurecimento espiritual de cada um, da articulação da convivência com os fatos.

A vida é mestre em desabonar, em desacreditar as nossas crenças, por mais grudadas que estejam na nossa mente.

124

A gente vai acreditando nas coisas e imaginando que são reais, que são verdades absolutas e fim.

Mas a vida, minha gente, não está nem aí com as nossas vãs convicções. Ela é a grande senhora, e faz de cá, faz de lá, acaba mostrando para a gente que o que temos é só teimosia e que a nossa segurança é uma farsa.

E completamente falsa.

A ideia que fazemos das coisas é muito perigosa. Nós precisamos ter abertura, ter flexibilidade para quando a vida exigir que lutemos para nos safar de ciladas.

Não se apeguem às suas ideias, não se norteiem por conclusões definitivas, porque a cada momento surge uma nova possibilidade, um novo ponto de vista, um outro "senão" que nos confunde se não formos flexíveis.

Um bom pensamento e uma boa ideia são úteis por um determinado tempo, para determinadas situações. Depois as coisas mudam, já que neste universo tudo está em constante revolução, em constante evolução.

Tudo é muito bom só para um determinado momento e também para uma determinada pessoa. Nada é geral, nada é definitivo.

A segurança, minha gente, não é estarmos presos a ideias, a convicções; segurança é somente a confiança em Deus, que está acima de qualquer "ideia", acima de qualquer pensamento pretensamente definitivo do homem.

A segurança em Deus garante o nosso equilíbrio e a possibilidade de a gente ter um estado melhor diante das modificações constantes da vida.

— Eu sei que estou falando uma coisa que as pessoas têm dificuldade de entender, porque a cabeça da gente quer ser absoluta, correta, exata.

No entanto, a nossa inteligência não alcança a profundidade das razões da vida e da vontade do universo. As coisas são muito mais relativas do que nós gostaríamos, e a gente, que não sabe relativar e não tem ainda a profundidade, fica em choque.

Mas se nós formos um pouco mais mansos, mais abertos, essa concepção de relatividade vai se mostrar e compreenderemos que a vida tem muito a ensinar. Compreenderemos que cada situação revela novos aspectos e que cada aspecto nos convida a uma nova meditação.

Essa meditação é o encontro entre as velhas crenças e novas possibilidades de uma visão mais ampla. Afinal, a vida exige amplidão, exige sempre um passo a mais além do nosso limite.

— Se *ocê* é dessas *pessoa* que enche a boca e diz que crê nisso e naquilo, que *tá* certo disso e daquilo, que tem muita opinião formada, feche a boca, porque *ocê* vai *tê* que *trocá* muita coisa ainda.

Vamos ficar sempre atentos e abertos. Estamos num constante processo de aprendizado e qualquer arremedo de conclusão definitiva é fatalmente um exagero e pretensão.

A abertura mental é o caminho melhor para o equilíbrio e para a flexibilidade que a vida exige.

Se estamos atormentados, sem direção, é porque as nossas ideias preconcebidas, a nossa inflexibilidade mental está atuando em nós, nos confundindo, nos amarrando.

Vamos ficar abertos, minha gente, para criarmos um canal que possibilite a fluidez das várias visões das verdades universais.

Cada vez mais eu tenho arranjado muitos amigos no meio de vocês que me ouvem, que se interessam pela minha mensagem.

Eu vou ao encontro de vocês, minha gente, apenas levando propostas de pensamento, mas não tenho a pretensão de impingir ideologias, nem de estabelecer novas verdades.

Gostaria apenas que vocês refletissem, que procurassem um novo modo de pensar, encontrassem alguma coisa nova que possa melhorar a vida de vocês.

Cada um tem o seu caminho. Eu aqui tenho a minha vida, cheia de responsabilidades comigo mesmo e com aqueles que me cercam. Vocês, no seu cotidiano, têm a sua verdade, as suas necessidades.

O importante é ter a convicção de que ninguém é modelo para ninguém, ninguém pode viver a vida de ninguém.

O meu convite é para a meditação, é para o questionamento, é para a observação dos detalhes, para que nós tentemos alguma coisa nova na nossa vida e que a gente consiga o melhor resultado.

As pessoas colocam muita esperança nas minhas mãos e, com excesso de confiança, me pedem diretivas, soluções para os seus problemas.

— Ai, Calunga, como é que é isto, como é que é aquilo? Me ajude a conseguir isto e aquilo.

Eu não sei, não. Eu também estou vivendo aqui como vocês, vivendo com as minhas ideias, e algumas dessas ideias me ajudam muito. Outras me dão uma mãozinha e eu vou levando.

Não sei se o que tenho conversado com vocês pode ser de grande valia, porque cada um tem um compromisso diante da própria evolução, diante da própria vida. Cada um tem que ir descobrindo as saídas por si mesmo.

Ninguém pode viver a vida dos outros ou colocar a vida nas mãos dos outros, e, por mais que a gente queira se agarrar em alguém, não tem onde agarrar, não. Não existe alça nenhuma para a gente segurar.

Só em Deus. De resto, não sobra mais nada, nenhuma sustentação.

Então, minha gente, eu faço a minha parte, dando de coração as minhas ideias para vocês.

Da sua parte, penso que é só refletir baseados no que ouvem, no que leem, e sentir no coração o que é bom, o que toca sua verdade, o que realmente serve para vocês.

Não adianta vocês pensarem que eu sou um santo, que eu faço milagres.

Sou santo, não.

E não tenho o poder de ajudar vocês quando me pedem para mudar o seu destino, para eu interferir nas suas provações.

O que eu faço é somente usar do meu conhecimento e transformá-lo em ideias, ideias que passo para vocês na forma de palavras, para sua meditação.

Tudo é entre vocês e Deus. O poder está dentro de vocês, colocado pelas mãos de Deus. Usem-no para melhorar a sua vida.

Vocês, minha gente, já sabem o quanto eu gosto das coisas boas, das pessoas boas. Como eu gosto muito do que transmite bondade.

E como eu admiro as pessoas persistentes.

Admiro muito a pessoa que persiste numa ideia, num intento, num ideal de melhora, na construção de um bem, na manutenção de uma família, na educação dos filhos, na dedicação aos estudos. Persistir em tudo que é desafio desta vida.

Persistir porque, no meio do caminho de qualquer atividade, quando a coisa começa a ficar feia, sempre dá uma vontade de desistir.

Mas a gente insiste na persistência, dá uma forcinha a ela, e a gente vai em frente.

É um grande dom essa força interior, que nesta vida redobrada faz com que a gente continue levando para a frente as responsabilidades.

Mas tem aquele outro que é teimoso.

O persistente está sempre trabalhando em seu próprio favor, em favor das coisas da sua vida, dando força para a sua verdade interior e, nesse caminhar, sempre leva junto, para o bem, quem está por perto.

Agora, o danado do teimoso só trabalha contra ele e contra tudo e todos. Incomoda todo mundo, joga a responsabilidade nos outros, manipula as pessoas de maneira negativa, insiste em suas reclamações. Bate o pé, teima nas coisas ruins. É uma gente diferente, vencida.

— Eu pergunto pra *ocês*: tem coisa pior que vendedor teimoso?

Pois é, ele fica querendo empurrar o produto, com desrespeito e ainda mais com burrice, porque não é um bom vendedor. Para ser bom vendedor, a gente não empurra, não tortura o comprador, não oprime, não força a comprar no constrangimento.

O bom vendedor tem que saber seduzir, mas não insistir. Com simpatia, com alegria, sabendo criar alternativas com espontaneidade, sempre querendo agradar positivamente o cliente. É uma pessoa desinibida, alegre e que persiste no bem. Vende, vende e todos gostam dele, é amigo de todo mundo, até daquele que não compra. Tem sucesso na carreira, sempre persistindo no melhor. Sabe o momento de vender e não é teimoso.

O teimoso ignora a realidade dos outros e se queixa a todo momento. Diz que ninguém facilita para ele, que todo mundo é chato. Então é muito preguiçoso, mimado e, quando percebe que está perdendo o controle da situação e nada de vender, ele cai no desespero e quer só empurrar o produto para qualquer um. Fica caçando o cliente na porta.

É, minha gente, é o retrato da miséria espiritual, querendo forçar e perturbar todo mundo. É um fracassado e só pega meia dúzia de bobos.

Pois é, tem gente que não sabe ainda lidar com o ser humano — nem consigo mesmo —, não sabe que cada um tem um jeito de ser tratado, cada um exige da nossa sensibilidade um olhar diferenciado.

É uma arte lidar com os homens, e só conquista esse mérito quem se esforça em aprender todos os dias. Quem persiste na ideia de viver bem com todos.

Com inteligência e senso de observação, vamos aprendendo, como bons alunos, a perceber melhor as coisas e descobrir como tratar as pessoas com respeito. Descobrir que é preciso, nas relações sociais, ter muito bom humor, ser alegre e simpático.

Desenvolver a simpatia é desenvolver um dom do espírito. É um dom espiritual, sim.

Olhem que este mundo está cheio de gente que vai à igreja, vai a centros, pessoas muito religiosas, mas que não são nada simpáticas.

Têm aquelas caras azedas, aquelas caras de velório, com uma seriedade falsa, cheias de moralismo, sem alegria de viver. Não têm espírito para uma boa gargalhada.

Parece que vivem só na compreensão intelectual, sem coração, sem sentimento.

Mas o verdadeiro ser espiritual tem muita alegria, não está aqui para reparar e criticar os outros. Está aqui é para levar as coisas para cima, com alegria e simpatia.

O ser simpático vê o mundo com os olhos do espírito, sempre levando as coisas para o seu lado melhor, levando o assunto para um tema agradável.

O danado está sempre disposto, irradiando uma energia também danada de boa.

Vocês já repararam como uma pessoa simpática não tem formalismos? Ela é educada, mas não é cerimoniosa, com rapidez faz um contato íntimo com você, sem ser invasiva.

E de imediato a gente já percebe que ela não vai nos agredir, e sim passar alguma coisa de bom. E fica tudo à vontade, aberto, livre. Conversamos sem defesas e o ambiente fica jeitoso, gostoso. O bom humor toma conta e é só risada, mesmo se o assunto for sério. Até o sério fica leve ao lado de uma criatura simpática.

Até a inteligência de não tocar nas nossas feridas ela tem, só toca no nosso melhor. Não que fique puxando o saco, não. Ela percebe as coisas boas e só quer assuntar sobre o melhor.

Que vida boa tem uma pessoa simpática...

Primeiro ela é simpática porque persistiu no melhor e se livrou do pior.

Depois, ela sempre é bem-vista, benquista.

Se procura emprego, todos querem, pois irradia uma energia transformadora e todos a querem alimentando o ambiente com a sua luz.

Para namorar, estão cercadas de pretendentes, pois irradiam uma atração que cativa.

É uma arte que eu gostaria tanto que vocês desenvolvessem mais, para atrair coisas boas para vocês.

Simpatia não atrai inimizades, não atrai inveja.

A pessoa simpática é muito acessível, não tem orgulho nenhum, é aberta a todos, conversa com todos, não quer saber só do bonito, só do rico, só do maior. Está no mundo com todos, e todos querem estar com ela.

A simpatia é uma grande arte do espírito.

Lá vai você começar outro dia da sua vida.

Pula da cama às seis da manhã, passa uma água na cara, rapidinho, porque já está atrasada, corre para a cozinha, põe água no fogo, acorda o marido e os filhos — que nunca querem sair da cama —, volta para a cozinha, faz o café, põe a mesa, grita para as crianças que continuam atrasadas, serve o café, todos comem, ralha com um, chama a atenção do outro, tira a mesa, lava a louça já pensando no almoço.

Vai para o tanque, deixa roupa de molho, corre para dentro, arruma a casa — até as camas das crianças, porque, coitadas, não têm tempo —, liga o rádio, liga a televisão, está se sentindo só, quer barulho, quer companhia dos sons. Volta para o tanque, esfrega e pendura a roupa.

Põe uma roupa, se olha no espelho, não acredita no que vê — mas não tem tempo para pensar —, vai ao mercadinho, no açougue, na quitanda, bate um papo rapidinho com as amigas, mas tem que correr para casa, o almoço espera.

Vai para o fogão, cozinha uma comidinha sem graça — já sem criatividade por causa da rotina —, as crianças chegam barulhentas, famintas, comem rapidinho. Você tira a mesa, arruma tudo sozinha, já pensando em passar roupa, em ir ao banco pagar as contas — ou fazer as tarefas das crianças —, e depois ainda fazer o jantar.

O marido chega, jantam todos, todos vão ver televisão, menos você, que vai novamente lavar a louça.

Na sala, estão assistindo a um daqueles programas policiais cheios de violência que antecedem o jornal, com mais desgraça, que antecede ainda a novela cheia de intrigas. Depois aquele filminho em que todos se destroem mutuamente. Seu marido gritando com as crianças, as crianças brigando entre si e você nervosa, acabada, no meio dessa confusão toda.

Não resiste mais e entra no clima, gritando, dizendo que não tem descanso, que é muita coisa para você, que ninguém reconhece o que você faz, que ninguém coopera.

E se pergunta:

"Por que a minha casa virou este inferno?"

Por quê?

Porque quando um toma o espaço na vida do outro, chamando para si todas as responsabilidades, não deixando o outro desenvolver as suas potencialidades, todos ficam insatisfeitos. Acaba tudo em briga, o clima se torna insuportável, cheio de dependências, de cobranças.

Um jogando na cara do outro os favores.

E ninguém é feliz, porque ninguém consegue exercitar o melhor de si. Se acomodam recebendo as coisas prontas, mas não se satisfazem por se sentirem inúteis, viciados em não fazer, viciados em não ter responsabilidades.

É o retrato da sua casa, de quase todas as casas por aí.

Você, na sua vaidade, na sua ilusão de ser a grande mãe, a mãe boazinha, criou um mundo de dependentes, de inúteis. E você, iludida, largou as suas necessidades como ser humano para, com a maior facilidade do mundo, servir a vontade dos outros.

Mãe boa é mãe ruim.
Não é empregada da família.

134

Mas tudo acontece com razão, na perfeição divina.

Só é necessário estarmos atentos às nossas atitudes e aos ensinamentos que a nossa inteligência capta dos fatos do dia a dia para que, aos poucos, possamos retomar o controle da nossa vida, deixando para trás esse vício de achar que o mundo depende de nós.

E num determinado momento na nossa vida, quando nos saturamos de tudo e de todos, começamos a questionar. É o início do nosso resgate.

Se as coisas acontecem de um jeito ou de outro, nos agradando ou não, a responsabilidade é só nossa.

A vida exige o desenvolvimento da nossa inteligência, da nossa percepção, exige a observação das nossas atitudes. A vida exige que nos dediquemos ao nosso melhor, independentemente de obrigações que insistimos em carregar.

Existe apenas um caminho para cada um de nós, aquele que a natureza propõe no momento da nossa concepção: a nossa individualidade, que significa convivermos conosco, e tão somente conosco, pela eternidade.

Eternidade.

Não podemos abandonar a nossa individualidade e desviar nosso caminho nas coisas do dia a dia, permitir sermos contagiados por ilusões, nos abandonar na dedicação aos outros.

Quando a gente tem a convicção da nossa eternidade, clara e consciente, nos dedicamos às coisas mais profundas, às nossas necessidades individuais. As coisas pequenas deixam de nos afetar, o mundo exterior toma uma dimensão menor. O outro, seja filho, parente ou amigo, ganha um significado menos importante.

Percebemos que somos apenas responsáveis por nós mesmos e, mais significativo ainda, que não temos que carregar ninguém conosco.

Na verdade, vamos compreendendo que, se nos envolvemos na vida dos outros, se permitimos ser usados, é porque não temos ainda confiança em nós.

Com medo da solidão, com medo de cobranças, a gente prefere a mentira, a ilusão. Não cansamos de conceder, de dar, de servir. Embarcamos no sonho de sermos úteis ao mundo e pagamos o preço do desencontro, do afastamento de nós mesmos.

Precisamos confiar mesmo é naquilo que o coração deseja, naquilo que somos e queremos, na nossa essência.

Chega um momento na nossa vida em que é preciso tomar aquela atitude do "doa a quem doer", que é retomar o nosso espaço, retomar o nosso direito à vida independente e devolver aos outros as suas responsabilidades, que um dia tomamos como nossas.

O momento de voltarmos para o nosso lar interior, inviolável.

A autoconfiança é o segredo da retomada da individualidade, é a energia que nos puxa para a eternidade, para a certeza de que nós vamos, afinal, ficar conosco para sempre.

Então, minha gente, vocês que vivem aí nessa dedicação à família, aos amigos, ao patrão, ao seja lá quem for, que vivem para os outros, servindo à loucura dos outros, fugindo de vocês, das suas necessidades interiores, eu vou avisando:

— Se *ocês* não se *impô* com coragem, por si mesmo, e não *lutá*, vão *sucumbi*. E *vão sofrê* pra danado. E Deus vai *fazê* nada por *ocês*, não!

Não esqueça que qualquer atitude que você tome será sempre o fruto da sua vontade.

Então, acho melhor fazer a sua escolha, eleger você mesmo como o recebedor de todo o bem que há no seu coração.

Caminhe na avenida da eternidade, preservando a sua individualidade. Só assim a vida tomará o sentido divino, que é o sentido seguro.

O agradecimento é o reconhecimento do bem.
O ato de agradecer é o ato de reforçar o bem em nossas vidas.
É uma manifestação pura do coração.
A atitude de agradecer é uma das coisas mais puras e sérias da vida, porque demonstra o melhor de cada um. E se é o melhor de cada um, é o melhor da vida.
É a vida no seu tamanho maior.
— É tão bom o amor, o amor dos outros. Que coisa boa é o amor, mesmo.
Outras coisas têm importância também, mas de um tamanho menor.
Agora, as coisas do fundo de nós, como o amor e a gratidão, são as grandes verdades, o grande alimento do espírito.
Mas infelizmente não é toda hora que conseguimos manifestar esses tesouros. Porque essa manifestação ainda é sempre antecedida de coragem, de liberdade para se livrar daquela doença chamada mesquinhez.
Falta ainda para nós acreditar que exercer a generosidade, doar o bem e dar vazão à luz do coração são sentimentos que devem fluir livremente, sem medo, sem receio de serem confundidos com fraqueza.

Mas isso é uma pobreza, uma doença temporária, porque um dia, neste caminhar para a vida eterna, a gente aprende que não é bem assim, a gente aprende que os tesouros se multiplicam à medida que os usamos.

Quanto mais usamos, mais usufruímos, mais a gente se envolve no bem, mais ricos ficamos.

É a Lei da Parábola dos Talentos, é o "quanto mais se dá, mais se tem". É a Lei da Generosidade Interior.

Claro que, para exercer a generosidade, é preciso ter inteligência, ter a percepção de que o doar-se não é aleatório, não é sem limites, sem restrições.

A gente não vai se dando a qualquer um, não vai dando além da medida. A falta de limites pode interferir na vida das pessoas, pois nós podemos inibir atitudes e não permitir que as pessoas desenvolvam suas potencialidades na busca do que é delas.

Mas a generosidade em si é uma grande satisfação, é o prazer da doação, é a possibilidade de sentir o bem dentro de nós e a irradiação do prazer e da felicidade.

E isso não é poesia, não, minha gente, pois quem tem a disposição para o bem é sempre uma pessoa feliz.

— Às vezes, eu vejo *ocês* por aí, pelejando *pra ajeitá* a sua própria vida, na amargura. Mas *vô* dá uma receitazinha de felicidade *pra ocês*.

Felicidade, minha gente, é ser generoso. A nossa alma não é egoísta, e sim generosa. Se você é generoso, se cultiva o bem — porque o bem está na alma, no coração —, você acaba afastando da sua vida as dúvidas, os pensamentos negativos, as maledicências e, principalmente, a desconfiança.

Quando falo para se livrarem da desconfiança contra o mundo e contra as pessoas, não quero dizer para vocês fecharem os olhos e deixarem de enxergar as obviedades, as maldades e as sem-vergonhices que por aí estão.

Não é por a gente enxergar as coisas ruins que devemos cultivá-las no coração. É muito diferente. Devemos apenas tomar cuidado.

— Você está assim, ao lado de um amigo que você percebe estar com má intenção, cheio de ilusões, com pensamentos lá não muito dos bons.

Pois bem, é a ocasião para você ficar no seu bem, sem criticar, sem condenar.

Na verdade, essa pessoa "está" num momento meio complicado, mas não "é" uma má pessoa. Ao mesmo tempo que ele tem esse lado assim perigoso, ele tem outro lado, o lado bom, lado este com que certamente a gente pode se comunicar. Conseguindo essa comunicação, a pessoa vai dar o melhor que tem para nós, possibilitando uma relação bem mais alegre. No melhor.

Pois então, minha gente, o exercício da generosidade é o exercício da inteligência, sempre voltado para o bem.

Mas se ficamos naquela coisa de medo, presos na defesa, a gente acaba na energia do ruim, tanto do outro quanto da nossa, criando um ambiente onde não flui o amor. Acabamos no mesmo conflito.

E o que é esse conflito?

É o fruto da nossa dúvida entre o estar e o não estar bem, o resquício da nossa maldade mental. É claro que todos temos um pouco de maldade mental. Para ativá-la, é tão simples: basta um pouquinho de desatenção.

Então, a pretexto de nos defender, a gente cai no vício da acusação, da condenação, da cobrança.

E, a pretexto de ajudar, a gente recrimina, a gente agride, critica, e até violentos ficamos. Tem um pouquinho de orgulho, não? A gente acha que ajudar nos dá o direito de ser superiores ao necessitado.

Mas atenção, minha gente: aí não tem generosidade, não tem amor, não.

A generosidade consiste na compreensão do outro, na percepção de onde o outro se encontra, nas suas emoções, no seu desenvolvimento espiritual.

Se essa pessoa não conhece ainda o valor da verdade, não condene, pois isso é tão humano quanto a sabedoria. Não queira ser também um justiceiro, um professor. Você só acaba machucando, ofendendo na sua pretensão de querer ensinar ou até de exibir as suas pretensas virtudes.

A generosidade é acompanhada da modéstia. A modéstia que te leva à compreensão do outro e ao perdão.

E um Bem extremo acaba se estabelecendo na sua vida e te leva a ser admirado e respeitado por todos.

Todos se sentem seguros perto de você, se sentem também respeitados. Sabem que você só quer o melhor deles, que provoca o melhor deles.

E a segurança valoriza a relação.

Todos temos sede do bem, da felicidade e do amor.

De tão bom que é ser bom, que é bom.

A maior prova da rejeição de si mesmo é o sentimento de desacordo interior, é o tormento de não se entender.

Minha gente, nós temos que procurar a compreensão da vida vencendo o desafio que carregamos dentro de nós, que é decifrar todos os nossos enigmas e responder a todas as nossas interrogações.

É preciso percorrer a estrada da aprendizagem que nos faz lidar com os mecanismos da vida interior, aprendendo a usar todas as qualidades de que a natureza nos dotou.

É preciso dominar o nosso instinto, entender que a nossa individualidade está sempre acima de valores coletivos e reclama o seu espaço, o seu direito de existir.

As informações que recebemos durante toda a nossa vida, a "educação" que nos jogaram cabeça adentro, foram mascarando a nossa percepção de convívio social, foram massacrando as nossas necessidades individuais, até que passamos a acreditar que somos todos iguais, que somos um bando seguindo na mesma direção.

E sabe lá Deus em que direção!

Pois é, a igualdade até que existe diante da vida, frente ao direito de viver neste planeta, frente aos direitos humanos.

Mas no que diz respeito à natureza do ser, cada um é cada um, cada um é um universo rico em diversidade.

Mas vocês aí não sabem — ou não querem — pensar de forma individual, olhar e sentir as suas individualidades e compreender que essas suas diferenças são naturais e que clamam pelo seu exercício.

A natureza não cria cópias para que não haja equívocos, para que as duplicidades não invadam espaços exclusivos. Mas vocês, com medo de assumir as suas diferenças, se agrupam na mesmice de ideias e comportamentos, buscando a segurança dos iguais.

Será que vocês pensam que ser diferente é ser anormal?

Que nada, minha gente, a natureza também não separa nada em certo e errado, em normal e anormal.

— Num tem nada disso na natureza, não!

O que existe é apenas a sensação do erro residindo na sua cabeça, já distorcida por valores que até você às vezes se pergunta de onde tirou, não é?

Na verdade, a grande parte do sofrimento da gente vem da negação do entendimento da nossa natureza.

A gente quer ser qualquer coisa assim, mais ou menos assado, parecida com aquela, ter o que a outra tem, e não percebemos que estamos nos negando.

É o eterno conflito para nos harmonizar com a nossa própria verdade.

É aquela pessoa que quer ser assim, muito mais isso e menos aquilo, mas não está entendendo o principal, não está entendendo que a natureza dela não serve para essas coisas, não nasceu para essas coisas.

Não adianta corrermos atrás daquilo que desejamos ser quando não temos vocação para sê-lo.

Você não quer ser o que é, não é?

Nega-se, não se aceita, inveja o outro e o que pertence ao outro. Você não faz as coisas do seu jeito natural e continua a seguir o modelo que aprendeu com os outros, com a sociedade, com as instituições, com o que se convencionou como certo.

No entanto, a sua natureza tem um outro jeito. O seu coração — não a sua cabeça social — deseja outras verdades. Verdades estas em que você não acredita e tem até medo de aceitar como suas.

Mas quando você se defronta com essas diferenças, quando você percebe que o seu desejo é percorrer outros caminhos, a sua sensação é de medo.

— Imagine eu sentir isso. Imagine, isso não é normal.

Então, você já entra em conflito, começa a forçar a sua natureza para mudar aqueles pensamentos, quer tomar outra atitude, a atitude convencionada pela maioria.

Daí então é que eu digo que vocês são ainda fruto daquilo que vocês pensam, daquilo que vocês insistem em acreditar com a cabeça coletiva, com o intelectual.

Vocês não dão atenção ao que sentem na alma.

Vem daí o sofrimento humano, vem da imaturidade de se deixar orientar pelas leis do povo, do lugar-comum, do mundo.

Por que não atentar para aquilo que sente na alma e compreender a sua natureza com mais cuidado, com mais atenção?

O homem não está adaptado a conviver com as suas intimidades e impõe a si mesmo uma carga de obrigações contrárias à sua individualidade. Toma atitudes contra a sua vontade, sem disposição e sem necessidade de alma.

Deixa o seu centro para ir pelo dos outros.

O homem se contraria muito, força a sua natureza, cria deformidades interiores, tudo em nome de valores sociais, em nome do medo de ser diferente.

Por isso, minha gente, há tantos desajustados por aí. E o pior é que são desajustados cheios de boas intenções, acreditando em verdades que apenas os levaram ao sofrimento.

São homens frutos da aculturação e da doutrinação, que não tiveram nem o cuidado nem a coragem de questionar o conflito entre sua alma e o seu intelecto.

São homens que se entregaram à lavagem cerebral feita por pessoas que os querem dominados, adaptados a um modelo de falsa moralidade e ao pensar de um só jeito, para uma só direção.

São homens induzidos a atrofiar o discernimento, a atrofiar o livre-arbítrio, transformados em um bando de gente desnorteada, olhando sempre em volta, para fora, nunca olhando para dentro de si.

Enfim, são homens que perderam o senso de observação independente e abdicaram da sua relação com a inteligência da natureza e com a sua própria essência.

Esse é o retrato do homem que se tornou temporariamente cego. Esta cegueira que dói, porque sem entendimento a vida não tem opção: é o desencontro, é a loucura, é a dor e é a doença.

E a vida doente é a síndrome da desadaptação à natureza.

Assim é, minha gente. Tudo que vocês estão aprendendo, estudando, deve ser levado ao coração, à alma. O entendimento da sua natureza não deve ser feito pela cabeça, não deve ser intelectualizado e muito menos norteado pelos valores externos.

Vocês têm é que perguntar todos os dias para a sua alma o que de verdade a sua natureza quer, quais são as suas necessidades.

Observem, avaliem, confrontem, comparem.

Assumam as suas diferenças individuais e acreditem que na natureza, na sua íntima natureza, nada de errado existe.

Acreditem que a sua verdade é absoluta.

A natureza, afinal, se expressa com largueza, com variações, com mil possibilidades.

Nela, nada é e nada pode ser igual, é apenas uma grande diversidade.

E as diferenças humanas são a maior prova da diversidade da vida.

Acredite em você, afinal você é apenas o que deseja ser a sua alma.

Com esta minha vida de ir para lá e para cá, eu venho observando muito, eu venho aprendendo e compreendendo mistérios que ainda me surpreendem.

Esta minha atenção às coisas é fruto da esperança que tenho em entender a vida e me tornar um ser harmonizado e integrado com o mundo.

Cada um de nós tem um longo caminho a percorrer, cada um de nós é uma forma de sopro divino abastecido de força. Mas cada um de nós é também uma dor a ser extinguida.

E falando de dor — coisa que eu tanto vejo pelo sofrimento constante em vocês —, eu me convenci que a sua causa vem muito da postura de extrema pessoalidade que vocês insistem em assumir.

Vocês se envolvem muito emocionalmente com as coisas, muito apaixonadamente com as pessoas, e não percebem a importância de ser impessoais.

Para muitos, a impessoalidade é confundida com frieza, com distanciamento, com o não saber viver em sociedade.

Mas o ser impessoal é a atitude de estar "na gente", de ficar na nossa alma. É o se envolver até o limite da preservação da nossa individualidade, garantindo o direito ao que é nosso.

Entretanto, a nossa educação quase sempre nos desvia da impessoalidade, pois nos leva ao envolvimento com os problemas dos outros, com as dores do mundo.

A todo instante somos levados a querer ajudar alguém, a tentar salvar ou remediar uma situação que não nos diz respeito diretamente.

Como a gente vive muito o externo, muito o outro, acabamos nos envolvendo de uma forma dolorosa.

Somos ainda uma grande maioria de pessoas envolvidas com uma rede de sofrimento que começa na família, passa pelos amigos, corre até os vizinhos, abraça o ambiente do trabalho e vai mundo afora.

Como se fôssemos os salvadores do mundo.

E eu aqui fico pensando: "Ai, meu Deus do céu, quando é que essa gente vai aprender a ser impessoal, quando é que vão compreender que não têm poder nenhum para salvar o mundo, que cada um é responsável pelo seu quinhão?"

Acho que é nessa hora que temos que nos voltar para um tema que vai ajudar muito a compreensão, que é a consciência da eternidade da vida.

Cada um de nós é um ser único, cada um de nós tem o seu caminho e, no final desse caminho, está a realização inspirada no ser divino que somos, talhados para a eternidade.

No final, tudo acaba dando certo.

Se cada um tem o seu jeito de aprender, se cada qual está na mão da vida, na mão de Deus, nós não temos o direito de interferir na sua história individual e muito menos de nos dar ao sacrifício de sofrer pelo mundo.

A atitude impessoal é, enfim, a compreensão do direito que o outro tem de percorrer o seu caminho. Não é insensibilidade, não é distanciamento, não é falta de caridade.

A ajuda ao outro, minha gente, pode quase sempre ser prestada por atos inteligentes — enquanto você pode orientar uma alternativa ao problema —, mas nunca pelo envolvimento emocional, dividindo sofrimentos e desgraças.

A dor, a desgraça ou um simples problema vivenciado por alguém precisam ser compreendidos numa amplidão maior, já que a vida não se cansa de nos ensinar por sinais, por fatos dolorosos ou alegres. E é através dessa compreensão que vamos percebendo como participar dos fatos, sem esse envolvimento doloroso.

Participar, minha gente, é a melhor maneira de estar com o outro nos seus momentos de aflição, enquanto participar signifique apenas a possibilidade de você ser um ponto de referência, não um outro a vivenciar e sofrer com o drama.

Está aí, para vocês, lançado um grande desafio, que é viver na impessoalidade. Esquecer a sua imagem no mundo, esquecer quem é você para o mundo dos outros e viver por dentro, viver apenas das suas sensações, viver do apoio às suas necessidades de alma.

Viver apenas das coisas que Deus reservou para a sua intimidade.

Exercite-se. Todos os dias, pergunte a você mesmo:

— Isso que eu estou sentindo, isso que eu estou querendo, será mesmo que tem a ver comigo, com a minha alma, é um querer do coração, ou é apenas coisa da minha cabeça, coisa para o mundo?

Há muita confusão em sua cabeça, muita coisa que não tem a ver com a sua vontade. Deixe tudo que não é seu de lado e concentre a sua energia para fazer bem o seu serviço, para fazer bem a sua parte.

E não tenha medo de se sentir indiferente aos males do mundo, se sentir seletivo ou insensível. Você não pode ficar desviando suas energias para um universo que não é seu.

— Problema dos outros, minha gente, o povo é que tem que resolver. A cooperação que a gente dá é aquela cooperaçãozinha. Porque quem deve fazer é quem está encrencado, não é?

Esse então é o desafio que jogo para vocês. Compreender, achar os seus limites.

A impessoalidade está ligada à qualidade das tarefas que você se propuser a fazer em seu favor e não à sua pessoa.

Esquece a pessoa.

O que vai interessar é a situação criada por você, as suas sensações, a melhora da sua qualidade de vida.

Sem atitudes impessoais, não vamos ter nunca qualidade de vida e nunca chegaremos à realização espiritual.

A eternidade é um estado de alma.

E a eternidade só será alcançada na sua plenitude quando dermos respostas aos anseios dessa nossa própria alma.

Deus, na sua imensa sabedoria, dá tudo para que você possa viver com tranquilidade nesta vida.

E você está aí, desiludido e infeliz, sonhando em se transformar numa outra pessoa, frequentar um outro ambiente, ter um monte de coisas que acha necessário para a sua sobrevivência, para o seu conforto.

Mas não insista em lutar por uma transformação que não está reservada para você. Não teime em tentar ser alguém diferente do seu jeito natural, alguém que não tem a sua forma independente e única de ser. Pare de invejar o outro, pare de querer ter o que se encontra no outro lado da vida. Não insista com ideias que muitas vezes não correspondem às ideias que Deus traçou para você.

Quantas vezes você entrou numa luta de conquista, pensando estar correndo atrás da sua felicidade e, no final, só se deparou com frustrações?

A sua felicidade não está nas suas ilusões. Não está, não.

Por quantas vezes você já se decepcionou com os amigos, sentindo até a rejeição deles? Sentindo-se alijado, jogado de lado, humilhado? Pois é, na verdade os seus verdadeiros amigos não estavam naquele grupo, muito menos ali estava a sua felicidade.

Bastava você compreender que naquele grupo não se encontravam as suas amizades espirituais, muito menos a possibilidade de realização como ser humano.

Mas você sofreu. Valorizou o grupo, se deixou levar pelas impressões e necessidades sociais e não atendeu à sua verdadeira luz, à sua possibilidade de caminhar sem modelos.

Para que brigar contra o que não é seu?

Para que enfiar na cabeça que aquilo que você insiste em querer e não consegue é a única alternativa para a sua felicidade?

Sabe de uma coisa? Eu vou ensinar a melhor política, o que você deve fazer para enfrentar a sua teimosia: brigue, lute, mas contra você mesmo, contra as suas ilusões.

Toda vez que você perceber que está indo contra a sua natureza, que o seu lado pessoal está ativo, pare e medite.

Converse com você mesmo, dialogue com Deus:

"Sabe, Deus, você me fez assim, desse meu jeito único. Eu não vou mais brigar com o meu modo de ser, não quero mais mudar. Não vou ser pessoal e entrar na energia dos outros. Não vou ligar para a minha pessoa e muito menos para o que falam e pensam de mim. Não vou sofrer por isso, não.

Vou deixar de acreditar que eu sou errado só porque as pessoas — e eu mesmo — não gostam de mim como eu sou.

Não vou mais brigar comigo, porque, se eu continuar a fazê-lo, estarei negando a sua obra realizada em mim. Não quero mais lutas internas, não quero mais brigas com o mundo. Eu sou assim mesmo, e que seja feita a sua vontade. Se me fizeste assim é porque com certeza reservaste um bom lugar para mim, com pessoas que comunguem com o meu jeito, com as minhas diferenças.

Há, certamente, um bom lugar onde eu possa me realizar. Não vou mais fazer nada, vou deixar a minha energia fluir."

Pois é, quando você começar a pensar e agir pela sua natureza, você vai compreender que as suas dificuldades não são causadas pelo que você é interiormente, mas sim pelo que você quer ser por fora, para o mundo.

Vai acabar percebendo quanta crença você deu para o que falam de você e o quanto você investiu para ser aceito pelos outros. Enfim, vai ficar muito claro o quanto você veio se afastando do seu mundo.

A vida quer que você esteja sempre do seu lado, em qualquer circunstância, e se torne uma pessoa exuberante, impessoal.

E a sua exuberância, adquirida através do novo jeito impessoal de se posicionar frente ao mundo, deve, em primeiro lugar, ser assumida e admirada por você mesmo.

Você tem que gostar de ser exuberante, assumir a sua independência frente ao mundo, sem medo de ferir os outros, sem medo de não se encaixar.

Você tem é que se encaixar na sua natureza, sem esperar o reconhecimento dos outros.

Mostre-se abertamente, sem medo de ser julgado, sem receio de sentar no banco dos réus, sem se culpar por ter encontrado finalmente o caminho da felicidade.

Não aceite ficar no tribunal da vida, não faça de ninguém o seu juiz apenas por ter se libertado.

Se deixe levar pelo seu Dom, que é o exercício da impessoalidade, e sinta-se com coragem para se garantir frente àqueles que certamente vão querer te derrubar, te criticar.

Afinal, basta compreender que ninguém tem que gostar da gente e, se estamos incomodando um ou outro, o problema é deles. E já que o problema é deles, eles é que fiquem nervosos, não é?

O sentimento do outro não pode ser o seu referencial, não pode nunca te atingir, mudando o seu rumo.

Você pode ficar de mal com o mundo, mas nunca contra você mesmo.

Um dia destes, recebi uma consulta de uma pessoa que diz gostar muito de ajudar os outros, mas muitas vezes é mal interpretada e muito criticada.

Pois é, minha gente, esse negócio de ajudar os outros é muito "truquento" mesmo.

Às vezes, a gente pensa que gostar de ajudar é simplesmente porque temos bom coração, temos boas intenções.

Mas será que, quando estamos nessa de ajudar, nós não estamos apenas exercitando a nossa vaidade, querendo ser apenas o "bacanão"?

Será que quem está do outro lado, recebendo, não sente que você está apenas o usando para satisfazer o seu orgulho?

É muito fácil dar, principalmente aquilo que está sobrando para nós.

É muito fácil estar do outro lado.

Por mais que o homem necessite de ajuda, por maior que seja o seu problema, receber é sempre muito complicado.

Então, o ato de ajudar deve vir acompanhado de muita sutileza, de muita discrição, de um jeito que não humilhe quem está recebendo.

Será então que você está se dando de modo certo ou, mesmo, será que você está dando o que realmente o outro necessita?

Mas também, por outro lado, não adianta ficar se preocupando muito com o que os outros andam pensando. A gente tem é que ir fazendo as coisas e, entre os erros e acertos, tentar ser o mais honesto possível.

Ser bom não é ser "trouxa". É preciso ter coragem e firmeza, senão os outros abusam e você acaba passando da medida.

Muita atenção para não dar as costas e ser esfaqueado por quem você acha que está ajudando. Afinal, as pessoas, quando estão caídas, costumam ficar muito ressentidas com quem está melhor.

Mas é muito bom prestar atenção em você, nas suas atitudes: será que você é boa de coração ou é boa apenas socialmente?

Porque essas duas "bondades" são muito diferentes.

Quando se é bom de coração, a gente age com firmeza, sem usar daquele artifício de voz mansinha, molinha, não. Isso é apenas um truque, e as pessoas percebem que é muito falso. É preciso dizer as verdades, impor a vontade que está no coração, sem adular ninguém. Para ser bom, é preciso, antes de qualquer coisa, ter força e consciência de que apenas a verdade leva para a frente, levanta e resolve qualquer problema, qualquer dificuldade.

Agora, a bondade social é aquela chaga.

Você adula, diz o que o outro quer ouvir, faz voz mansa, parece até um anjo. Mas apenas alimenta a sua vaidade e afunda mais o outro na ilusão.

É uma bondade da boca para fora, uma ação que não enfrenta a verdade e apenas "mima" e adula.

A bondade então é o exercício da verdade, impulsionada pela força da mudança.

Eu, quando falo para vocês, digo o que tem que ser dito.

Vocês já perceberam que eu nunca venho com "cunversê" para agradar?

Mas é claro que eu não sou agressivo com a minha atitude. Sou apenas firme e convicto do que estou dizendo. Nunca pretendo magoar vocês, mas por outro lado jamais vou dizer alguma coisa só para ser agradável.

Não adianta mimar ninguém, porque a vida só faz sofrer os mimados. E quando a vida faz sofrer, é apenas para que a gente perceba que no sofrimento é que ficamos fortes e que não tem lugar para os mimados e fracos, para os cheios de "nhe-nhe-nhem".

Vamos é ser firmes ao falar e firmes quando usarem de firmeza com a gente, sem a velha desculpa de que somos sensíveis e precisamos ser tratados com carinho.

Carinho não é mansidão, não é tapinha nas costas e diz-que-diz bonitinho, mas sim firmeza.

Só assim é que poderemos ser bons e prestar de fato um serviço a quem precisa, sem que ninguém abuse da gente.

Vamos impor a nossa bondade com respeito.

Afinal, as coisas boas só acontecem quando as pessoas passam a nos admirar.

Mágoas.
A gente tem tantas ilusões na vida, mas de repente as coisas não acontecem como a gente sonhou.
Mesmo assim, continuamos acreditando nessas ilusões. Elas são tão bonitas, são tão enganadoras.
Na verdade, nós somos muito ingênuos, somos facilmente enganados por nós mesmos, pelas fantasias que criamos para nortear a nossa vida.
Mas a realidade nunca é aquela que mascaramos com os nossos enganos, porque não fomos criados para viver eternamente na mentira.
Sempre queremos porque queremos, mas quase nunca fazemos esforço na direção de criarmos alternativas.
Vivemos empacados na nossa teimosia, nos comportando de maneira contrária à nossa natureza.
Pois é, minha gente, quando não aceitamos o nosso modo de ser e o que temos, vivemos magoados e ofendidos.
— Como é que isso acontece comigo? Logo eu que sempre faço tudo tão certo, tudo tão bem! Eu não merecia esta vida.
Pois é, quando não estamos no nosso equilíbrio, mas à mercê dos nossos desejos, acontece tudo que não queremos.

É a vontade contrariando a realidade.

Tudo isso nos acompanha desde crianças, não? Crianças mimadas que quase todos fomos.

E até trazemos isso de outras vidas.

Sempre se ofendendo, sempre frágeis.

Sempre se magoando e atiçando o orgulho.

Pois é, atiçar o orgulho através das nossas frustrações é o caminho certo para nos jogar naquele mundinho onde todos temos prazer de ficar, que é assumir e viver a posição de COITADO.

— Ai, coitado de mim...

No início, esse coitadinho fica quietinho dentro da gente, pois, com vergonha do nosso "fracasso", não o mostramos para ninguém. Afinal, o nosso orgulho exige que, frente aos outros, a gente tenha que se mostrar forte.

Então, nesse esconderijo, a gente vai blasfemando, vai reclamando da vida, vai dizendo que não ajudamos ninguém mais. E vamos nos tornando pessoas amargas, ofendidas com a vida.

Pois é, minha gente, isso pega, e pega muito forte na nossa vida. Destrói os nossos sistemas imunológicos.

Vem daí a tristeza, a depressão, a doença.

Como é então que devemos fazer? Como é que podemos conviver com nossas ilusões e as frustrações de não podermos quase nunca concretizá-las?

Pois é, o jeito é não ficarmos nos defendendo das frustrações com o falso "eu" que é o orgulho.

Temos que compreender que uma ilusão, uma fantasia, é apenas um desejo que pode ou não ser realizado. Mas não uma necessidade básica de sobrevivência, uma condição de felicidade.

Se temos que nos defender, vamos compreender que nem sempre o que queremos é possível de ser alcançado. Vamos entender que nem sempre o que queremos é o que a vida e Deus nos reservaram.

Não é com o orgulho então que nos defendemos, mas com a consciência da aceitação. Com a compreensão de que se não nos foi dado o que queremos é porque não seria bom para a nossa evolução.

Quando compreendemos a sabedoria da vida — que nos dá a medida do que necessitamos —, saímos desta energia ruim que nos leva ao sofrimento e às doenças.

É enfim a libertação do mal em que insistimos em ficar atolados, com a nossa mania de querer e querer.

É preciso pensar com as melhores intenções, no desafio que é viver. Pois, quanto mais acreditarmos que a vida é nossa inimiga — por não dar o que as nossas ilusões desejam — mais vamos brigar com ela, mais vamos nos defender dela. E mais vamos nos afastando de nós mesmos. Mais estressamos o nosso corpo físico, mais estressamos o nosso corpo mental. Daí um passo para as doenças físicas e mentais. Doenças no corpo astral ativadas por núcleos de desilusões e mágoas.

E como é que se cura, como é que se convive bem com isso tudo?

Primeiro, reformulando o corpo astral, fazendo uma avaliação da sua vida, das suas ilusões.

Depois, enxergando todas as situações que feriram o seu orgulho e compreendendo o porquê de tanta fragilidade.

Finalmente, perdoe. Perdoe de coração a você mesmo. Jogue fora o seu orgulho.

O que realmente cura é a humildade, é a extirpação do orgulho.

O orgulho engana muito. Pensamos que estamos nos defendendo, mas na verdade estamos sendo reféns das nossas ilusões.

Afinal, o povo está certo quando diz que O ORGULHO É CEGO.

A vida é muito generosa, está sempre nos dando alguma coisa, sempre nos oferecendo uma nova alternativa, uma nova oportunidade.

Mas quase sempre a gente não percebe isso e fica na eterna reclamação:

— Ah, está me faltando isto, está me faltando aquilo.

Mas que a vida está dando, isso é verdade.

Está nos dando a oportunidade de aprender, de desenvolver, de crescer.

Está nos dando a oportunidade de experimentar.

Mas a nossa imaginação sempre rema ao contrário.

Criamos ilusões, achando que vida boa é a vivida pelo outro, que a felicidade se encontra em outras situações, sempre aquelas não alcançadas por nós.

Somos sempre ingratos com a vida, ingratos com o que nos foi reservado.

Cegos, deixamos de viver o real para nos afundar na vida imaginária, desejada, invejada.

Mas se a vida não anda do jeito que a gente teima em querer é porque a nossa natureza tem outros objetivos para nós, tem outra intenção para o nosso destino.

E não adianta ficar naquela "inconformação", reclamando que a vida é ruim e ingrata com as nossas aspirações.

Não adianta forçar as situações, lutar contra o que nos está reservado, querendo correr na direção do sonho, da fantasia.

Sonhar faz parte da nossa vida, é como uma força que nos dá esperança. Mas o sonho deve ser encarado como mais uma possibilidade, como uma variável que pode ou não ser alcançada. E temos que sonhar acordados, não é?

Sonhar com os pés bem no chão.

A gente tem mais é que sonhar para viver, mas nunca viver para sonhar.

A vida continua, minha gente. E não adianta se esconder atrás de fantasias. Não adianta ficar correndo atrás de desejos, invejas. Não adianta brigar com a vida, se tornar resistente à sua verdade. Não adianta ficar inconformado.

Quando entramos na energia da resistência e do inconformismo, a coisa não tem mais jeito. Tudo começa a encrespar, tudo fica ruim, tudo piora.

Nada mais dá certo.

Daí então é o desespero. A vida que queremos que seja tão boa — com as nossas fantasias de mudança "para melhor" — se torna um inferno.

É o que dá levar muito a sério a nossa imaginação.

— Uai, minha gente, a vida tem muitas maneiras de nos suprir, mas sempre é do jeito dela.

As coisas não podem seguir o caminho por onde a gente fica sonhando. Não é porque sonhamos, imaginamos, que vamos receber de mão beijada, assim, gratuitamente.

Não podemos ter a certeza de que o que sonhamos é para o nosso bem. Muitas vezes, ganhamos alguma coisa que tanto desejamos e é aquela decepção.

Na verdade, minha gente, quem vive bem é aquele que não faz planos, que não fica sentado imaginando uma vida diferente da que tem.

Vive bem aquela pessoa que vai descobrindo a vida no dia a dia, recebendo de coração aberto as coisas boas — e também as ruins — e sabendo tirar proveito de tudo.

É preciso saber viver como somos e com o que temos, pois tudo é muito interessante, proveitoso, enriquecedor.

A pessoa que aprende a lidar bem com as coisas da vida vai sempre conseguindo tirar vantagem das situações. Vai aprendendo com as coisas boas, vai crescendo com os desafios, vai descobrindo todas as possibilidades e fazendo do ato de viver dias bem interessantes.

É preciso perceber que a vida, apesar da rotina que teimamos cultivar, é uma coisa desconhecida, cheia de surpresas. Com otimismo, dá para sermos alegres, animados com todas as surpresas, com todas as possibilidades que se renovam no dia a dia.

Mas as pessoas que insistem em ficar encruadas, na reclamação por não verem os seus desejos realizados, estas estão numa situação sem saída, abandonadas pela natureza.

A essas pessoas com a vida parada, cheia de dificuldades, aqui vai o meu "palpite de defunto":

— Desiste, desiste de tudo quanto é coisa que você imaginou, desiste da ideia que você criou sobre o que seja a felicidade, desiste do seu conceito de bom. Deixe de acreditar que existem faltas na sua vida. Desiste de tudo e vai viver o seu dia a dia com as coisas que estão à sua disposição, com as coisas que realmente são suas. Desiste intimamente dos seus sonhos e das suas ilusões e aceite tudo que a vida está trazendo. E preste muita atenção para onde a vida quer te levar — que certamente não é o lugar onde você quer estar, mas é o melhor lugar.

Entendeu, minha gente? Não adianta brigar com a vida, não adianta criar resistências contra o irremediável.

Com consciência e lucidez, devagarzinho você vai compreendendo o que é realmente a sua vida, quais são os seus caminhos, onde está a sua verdade.

E quais são as suas reais necessidades.

Daí em diante, quando você menos esperar, as coisas começam a andar, as coisas boas vão acontecer e você vai se surpreender ao perceber que situações simples, que você nunca imaginou, vão te dar alegria, vão te dar paz.

Você vai se tornar uma pessoa diferente, motivada, capaz de descobrir tanta coisa que antes você não conseguia ver. A sua vida se tornará colorida, fascinante, cheia de chances.

Tome consciência do que é seu, compreenda o valor do que tem e do que não tem.

Avalie o porquê de tantos desejos inalcançados e analise se essas coisas todas que você tanto acha que tinha que possuir não passam de uma infeliz fantasia que te leva a acreditar que a felicidade está no que você não tem.

Deixe tudo na mão da vida.

A consciência universal proverá você na medida exata das suas necessidades físicas, materiais e espirituais.

A sabedoria divina está além das suas ilusões, acima do seu orgulho.

Você já sentiu uma vontade danada de jogar tudo para o alto, de largar o emprego e relaxar? Já sentiu aquela extrema sensação de cansaço, aquela apatia que te impede de levantar pela manhã e enfrentar o dia?

Pois é, minha gente, eu estou percebendo que há muitas pessoas confusas demais, se sentindo desmotivadas, impulsionadas para uma vida de abandono. Mas não dá para pensar assim, neste mundo onde o trabalho é fundamental para a sobrevivência e para a realização.

Será mesmo que é o trabalho que está tão ruim?

Ou é a cabeça de vocês que está confundindo tudo e atrapalhando o seu sossego, a ponto de jogá-los nessa apatia?

Às vezes, é preciso prestar muita atenção na alma, principalmente quando o corpo dá sinais de esgotamento. Prestar atenção para não fazer bobagens e perder a oportunidade de sobreviver, de ganhar o sustento.

A alma pode estar se queixando da sua cabeça, porque a sua cabeça, como trabalhadora, pode ser péssima.

Vocês fazem muita pressão sobre as coisas, se tornam muito dramáticos, levam tudo de uma forma séria demais. Vivem se pressionando, exigindo além da conta, competindo demais.

Vocês trabalham de uma forma tensa, como se tivessem um inimigo em cada lado, contra os quais é sempre preciso ficar atento, na defensiva.

Mas não é verdade, não. E não é saudável criar um ambiente de trabalho com tanta energia negativa.

É o medo de perder que cria essas fantasias.

Daí é um passo para vocês se tornarem perfeccionistas. O medo de errar corrói seu espírito, achando que cometer um erro é sinal de fraqueza, de incompetência.

Uai, minha gente, trabalhar não é se escravizar, não.

Essas atitudes que vocês tomam com relação ao seu trabalho são de escravidão.

E essa escravidão, esse medo, essa desconfiança é que cansam, não o trabalho.

Se vocês não se renovarem, não tiverem coragem de enfrentar seus medos, o trabalho vai ser um peso, um inferno. E cada vez mais vai faltar vontade de sair de casa para enfrentar o dia.

Façam do seu trabalho uma atividade prazerosa, onde vocês possam criar, arriscar mudanças sem medo de errar, quebrando a rigidez da rotina.

Tenham coragem de inovar, consolidar ideias novas, dar palpite, mudar tudo a cada dia.

Trabalhar é exercitar dinamismo, experimentar novidades, arriscar, sem medo de mudar para pior, sem medo de cometer erros.

Essa ideia de ser batalhador precisa ser mais bem compreendida por vocês.

Será que ser batalhador, na sua cabeça, é sair de casa não para trabalhar, mas para enfrentar uma arena de luta?

Se for assim, é por isso que estão todos cansados, pois nesse ritmo o desgaste é muito maior.

O melhor para vocês é assumir uma postura de empreendedores, porque, assim, trabalhar é um ato de criatividade e prazer. O local de trabalho passa a ser a extensão da sua casa, o complemento do seu lazer.

Trabalho não é luta.

É diversão, é a possibilidade de exercitar as nossas potencialidades com muito prazer.

É se envolver num processo criativo, é possibilitar e realizar coisas novas.

É ordenação mental enquanto utilizamos a nossa inteligência e também a nossa esperteza.

É praticidade, senso comum, é saber lidar com as coisas e com as pessoas.

É parte essencial das nossas necessidades como seres humanos.

Mas é preciso então diferenciar, perceber que a insatisfação e o cansaço não vêm do exercício do trabalho, mas sim do modo como vocês trabalham, do jeito que vocês acabam por entender o trabalho.

Se a sua alma está gritando, dizendo que não aguenta mais, que não tem mais vontade de enfrentar o dia a dia no seu local de trabalho, é sinal que você estragou tudo com a sua incompreensão. Certamente você se preocupou com a competição, com as pretensas ameaças dos outros, a ponto de não deixar a sua alma — sua essência — fazer o que ela realmente queria.

Você não deu espaço para o exercício da criatividade da sua alma. Acabou se fechando dentro daquela cerquinha segura e não arriscou nada, amedrontado.

É isso que a sua alma reclama: a expansão da potencialidade criativa. Não está reclamando do seu trabalho, e sim da sua forma de trabalhar.

Sua alma está indicando, na verdade, uma necessidade de mudança, está pedindo mudanças, um novo começo. Mas não indicando para você parar de trabalhar.

Antes de dar um passo, avalie realmente o que a sua alma deseja — não a sua cabeça confusa —, para onde ela quer te levar.

A alma sempre conduz, sempre indica uma direção, mas é preciso ficar atento às mudanças para não confundir o rumo.

Ficar atento para perceber que a alma quer mudar, antes de qualquer coisa, a forma de pensar, quer tirar da sua cabeça valores equivocados.

Depois é que vem o novo rumo, o novo caminho.

Tem gente que anda por este mundo afora morrendo de medo de tudo.

Gente sobrecarregada de responsabilidade e cobrança, gente que quer levar o mundo todo nas costas e com um medo danado de falhar, de ser chamada de fracassada, de incompetente. Gente com a cabeça completamente enfiada na cegueira. E vem com o "cunversê" de que tem síndrome do pânico.

É o que dá enfiar na cabeça que são responsáveis pelos filhos, pelo marido, pela família toda e ainda, para sobrecarregar mais, se sentem responsáveis por qualquer outro que atravessa a sua porta.

Assumem tudo, criam um drama danado, mas morrem de medo de não aguentar o que assumiram na loucura de ser poderosas.

Até quando vão continuar nesse dramalhão? Até onde vai continuar toda essa pressão sobre as suas cabeças e sobre as suas almas?

Pois é, minha gente, todos os problemas desta vida têm que passar pela gente como uma nuvenzinha fraca, que não oferece risco nenhum.

Deixem que caia a garoa, que molhe um pouquinho, deixem que refresque.

Mas fazer uma tempestade que a tudo destrói na sua vida é pura loucura, é sintoma de quem deixa a vaidade e o orgulho se tornarem maiores que a sua capacidade de sobreviver.

Deixem tudo de lado, pois tudo passa com o tempo.

Os problemas dos filhos, do marido e de quem quer que seja, se deixados de lado, se não considerados, acabam se diluindo, se transformando em nada.

Daqui a uns dias, se vocês olharem para trás, nada mais existirá.

Tudo passa, minha gente, tudo passa quando não damos importância aos fatos.

Vamos fazendo apenas o que podemos, sem sacrifícios. O restante, que fique nas mãos de Deus, pois ninguém nesta vida pode se sentir bem sem repartir com Deus as responsabilidades.

Vão fazendo o possível, mas sempre confiando na providência divina, que se manifesta sempre nas horas de necessidade. Não adianta tentar responder por tudo, não adianta e é impossível ter essa pretensão, essa vontade insana de abraçar o mundo. Afinal o mundo não é só de vocês.

É um orgulho danado essa mania de tomar conta de tudo e de todos. É querer ser maior do que se é.

Vocês são estranhos.

Sabem que são limitados, mas basta alguém comentar ao seu lado que estão numa dificuldade, e logo vocês se apressam a ajudar. A pegar os pesos dos outros e assumir uma sobrecarga de responsabilidade.

Quase sempre é a absurda necessidade que vocês têm de se sentirem poderosos, capazes de resolver tudo.

Vocês querem ser é muito bacanas, não?

Daí então, com a cabeça cheia de compromissos com o mundo, é certo que vão ficar "tontos", desnorteados, sem saber como dar conta das coisas.

E é só sair para a rua e perder o rumo, morrendo de medo de tudo.

Medo de falhar nas suas responsabilidades frente a todos, frente ao mundo, prisioneiros dos problemas e das energias negativas dos outros.

Isso tudo é viver num clima de ameaça, ameaça de não dar conta, que leva ao envenenamento de todo o seu sistema imunológico.

Aí vocês acabam estressados e se sentem ameaçados. Mas não têm ameaça real, apenas fantasias criadas na cabeça.

Mas vocês não nasceram assim, não é?

Vocês nasceram livres, descomprometidos. Só que, com o seu "amadurecimento", foram aprendendo tudo errado com relação à vida.

É tempo ainda de aprender e mudar, de voltar à primavera.

Deixem que cada um resolva os seus desafios, que cada um seja responsável apenas pela sua vida.

"Desencuquem" e sejam modestos, calem a boca e não se metam quando as pessoas chegarem na sua frente pedindo a sua opinião.

Podem acreditar que vocês não têm a missão de ser os salvadores do mundo.

Afinal, já é tão difícil conseguir dar conta da sua própria vida.

Permitam, despretensiosamente, que cada um resolva o seu, que cada um possa conhecer os seus limites e as suas capacidades.

Por fim, deixem de se magoar com vocês mesmos por não terem conseguido dar conta de tudo aquilo que o seu orgulho queria que vocês fizessem.

Baixem as suas expectativas e toquem a vida com a alegria que ela merece, sem tormentos.

Aproveitem a vida que vocês têm. Ela é tão rápida e, antes que vocês percebam, ela já acabou.

**"Se vistam de festa
e saiam para a vida."**

Todos nós somos chamados para o exercício da reformulação, onde vários e vários caminhos se abrem, possibilitando sempre uma nova oportunidade para a nossa vida. A vida vai desabrochando em nós, saindo das nossas entranhas, rompendo o mistério do nosso inconsciente e brotando na superfície em forma de corpo, sentimentos e mentes.

Nesse trajeto de despertar, todos nós vivemos a angústia de não saber em que direção caminhar, de não ter a convicção do que será o amanhã.

No entanto, só a confiança na vida e na nossa luz interior pode nos assegurar de que o destino tenha força de nos levar à felicidade.

Seja qual for o nosso momento, seja qual for a nossa angústia, nossas dúvidas, nossas necessidades, seja qual for o nosso limite, nós sabemos que existe uma força poderosa a nos movimentar, a nos levar.

A confiança nessa força extraordinária é a única segurança estável para que nós continuemos e sigamos com menos aflição.

Aí então, minha gente, quando nos apegamos nessa força, nos situamos no caminho da eternidade, e voltamos então para o dia a dia, para as nossas coisinhas, com mais tranquilidade.

E são nessas pequenas coisinhas triviais que a vida vai se revelando, se transformando e nos ensinando que precisamos ter a mente e a alma muito abertas, e muita paciência.

— E também muita soltura, para não emperrar com as coisas que a vida joga para nos desafiar.

Então, quando você estiver naquela situação de indecisão, quando o coração quer uma coisa, a cabeça quer outra e os outros dizem que não é nada disso, é melhor largar tudo e deixar a vida levar, deixar a vida decidir.

Quando você larga tudo, as coisas se esclarecem.

"É preciso ter paciência com Deus. Não adianta ficar na afobação, nem esperneando."

A sabedoria está em deixar as coisas irem para o caminho que têm que ir.

Não adianta interferir. Deixa ir para onde for, para onde quer o desejo da natureza.

Afinal, como já diz o ditado: "Quando não dá, remediado está."

Deixem as coisas emperradas nas mãos das forças superiores e deixem a cabeça sossegar, deixem o coração se libertar das dúvidas e angústias.

O importante nesta nossa vida é o pão nosso de cada dia.

De resto, é só pegar a vassoura e varrer para fora todas as bobagens que estão na cabeça e afligem a alma.

Quando a cabeça está ordenada e livre, limpa, vazia, a gente acaba aprendendo o devido valor das coisas e a entender o que realmente está disponível na vida para o nosso usufruto.

Há neste celeiro do mundo muita coisa boa à nossa disposição. E a chave para penetrar nele é a paciência consigo mesmo, é o ordenamento mental, é o se livrar de todas as ilusões, orgulhos e resistências.

É deixar de lado o sempre querer o que não está disponível para nós.

É preciso sempre optar por viver na paz, é preciso sempre se elevar.

Viver é um desafio constante, sempre com uma coisa ou outra a nos desviar, a nos desafiar.

A todo instante aparece um convite para mudar, mas a mudança tem que ser para melhor, para cima.

Se elevar, minha gente, é o caminho para chegar à realização.

No nosso dia a dia, no convívio social, sempre aparece um fato, uma conversa, enfim, um momento em que percebemos que a gente fica dividido, sem saber como agir da forma certa: ou brigamos ou relevamos e nos elevamos, deixando a raiva de lado.

É nessas situações, sempre não muito favoráveis para nós, seja dentro da família, no trabalho, ou nos negócios, que a gente tem que respirar fundo e se elevar.

Se elevar é sair da linha da ignorância em que às vezes somos tentados a caminhar.

A gente se queixa muito das situações de conflitos, dos desafios, dos diz-que-diz das pessoas. Quase sempre partimos para a crítica e para a condenação.

Mas o que é que estamos fazendo, minha gente?

Nós estamos é entrando na mesma faixa do transgressor, em sintonia com aqueles que estamos condenando. Desse jeito, caímos na mesma situação deles e nada de melhor pode acontecer na nossa vida.

Êta, mania que temos de falar mal dos outros. É da mãe, é do pai, é do amigo que traiu, é de um que fez isto e de outra que fez aquilo.

E nunca percebemos que estamos na mesma posição daqueles que julgamos errados, que estamos nivelados na mesma posição, lá embaixo, naquela faixa de energia que só faz atrair mais gente ruim, mais situações desagradáveis.

Parece que a gente gosta muito de ficar se enlameando nas fofocas, no diz-que-diz, com a desculpa de se defender, de dar o troco e não se passar por fraco.

Agora, vocês tratem de entender esse ponto fraco e dar a volta por cima, subir uns degraus na evolução e assumir uma posição mais impessoal, mais ampla, mais distanciada dessas mesquinharias.

Tratem é de melhorar a sua cabeça, usando o que já conhecem, de modo a se afastar desse chão onde todos se julgam com o direito de interferir um na vida do outro.

Percebam que a vida está nos desafiando a todo momento e que essas miudezas do dia a dia são instrumentos que nos dão chance de mostrar a nós mesmos o que realmente somos, e em que nós podemos nos transformar.

A opção é muito simples, minha gente.

Ou vocês vão para cima, se tornando impessoais e não envolvidos no diz-que-diz, ou ficam aí embaixo, trocando farpas entre aqueles que ainda estão no limbo, na ignorância.

A ignorância e a estupidez são sempre um atrativo, pois a nossa presunção nos engana, nos levando a acreditar sermos superiores, com o direito de humilhar os fracos, com a possibilidade de mostrarmos a nossa arrogância.

Daí, é um passo para afluir a discórdia, o lero-lero.

É pensando que somos diferentes dos "fracos" que nos tornamos exatamente iguais a eles.

Prestem atenção nesses detalhes, prestem atenção no que vocês sentem quando estão nessa rede de intrigas.

Se sentirem prazer, vocês estão mais é querendo continuar se debatendo na eterna confusão.

Agora, se já sentirem uma certa dose de rejeição, há chance de superar e processar uma mudança na sua vida. Mudança para melhor, se livrando da mediocridade.

Só saindo dessa situação é que vocês poderão compreender a importância da autoconfiança para o seu desenvolvimento, para o seu crescimento.

Dando crédito para os seus atos, dando apoio para as suas iniciativas, você se livra da necessidade da opinião alheia, do envolvimento com o outro.

Deus e os poderes infinitos da vida trabalham de acordo com a nossa confiança em nós.

É só abrir os seus caminhos, através da elevação e do distanciamento das banalidades, que o universo rompe o seu silêncio e abre todos os seus espaços.

É o mistério de se diferenciar da maioria, de não se envolver, de criar a sua unicidade para comungar com o que de direito está disponível para vocês.

E vou continuar dizendo: o não envolvimento não significa fugir da vida, mas sim enfrentar seus desafios de maneira consciente, sem preconceitos e sem medos.

Dar o troco para os desafetos é somente se igualar a eles.

Fuja desse comércio, dessa troca de baixarias. A sua qualidade interior é que vai atrair o bem ou o mal.

Deus favorece aqueles que procuram a elevação, mas são vocês que têm que agarrar as oportunidades, os recursos infinitos.

Não há amor no mundo que nos faça felizes, a não ser o nosso próprio amor.

O problema da vida não é o mundo, não, vocês vão me desculpar, mas eu acho que não é, não.

O problema é aquilo que está dentro de vocês, minha gente.

Está certo que vocês estão passando por um momento de muita violência, de muita miséria, de muitos desencontros, mas eu continuo a dizer que, na minha opinião, não está tão mau assim, não.

Na verdade, o mundo foi e será sempre assim, instável, cheio de contradições. Mas agora me parece que as pessoas é que estão com um medo danado de viver.

Todos escolheram acreditar em muita bobagem, em muita coisa ruim, no que tem de pior no mundo, se acovardando. Mas eu acredito também que em todo coração existe uma luz de inspiração e confiança de que existe um jeito de viver bem.

Acredito também que até um bandido, um violento, um perdido — afinal todos são gente — tem uma chance de poder dar a volta por cima e chegar à redenção.

Mas este mundo exterior que está aí disponível para vocês viverem não é nada. O que importa é o que vocês estão fazendo por dentro, o modo como vocês estão se posicionando para tocar para a frente.

Vocês não podem pensar que a vida é só gastar forças, correr para cima e para baixo, lutar, se defender.

Não é isso, não.

Deus dá muito, a vida é muito abundante, muito rica e muito boa. Mas isso só é percebido pelas pessoas que mexeram com a cabeça e acreditaram em coisas melhores, que se distanciaram da miséria humana.

Para as pessoas que resolveram ficar empacadas nas coisas ruins e não atentaram para as possibilidades do bem, certamente está reservada uma boa cota de sofrimento, exatamente igual àquilo que tanto temem.

— Mas, Calunga, não é assim como você fala. A gente é exigente, quer paz, tem medo da violência. Não podemos nos conformar com tanta insegurança.

Mas eu também acho que vocês têm que ser exigentes e querer o melhor deste mundo. Acontece que vocês ficam com a cabeça tão atolada nessas porcarias, que acabam atraindo-as mais ainda. Quanto mais a gente tem medo do diabo, mais ele aparece para a gente. O medo dá força para o mal e abre um canal de comunicação por onde acabam entrando essas porcarias na nossa vida.

É preciso saber escolher bem e com muito capricho, exigir coisas boas para nós e pensar sempre nas coisas positivas. Saber escolher sobre o que refletir, sobre o que meditar.

Já que o dia inteiro a gente está escolhendo, fazendo opções, é preciso ter muita cautela para poder pegar o que de melhor existe no mundo. As pessoas com esse padrão de exigência não vão entrar nunca em qualquer conversa, em qualquer pensamento ruim, e nunca vão atrair dissabores.

Eu digo para vocês: não avacalhem a sua vida, escolhendo qualquer porcaria, se conformando com qualquer coisinha, achando que têm que se contentar com pouco.

— Mas, Calunga, a gente tem que ser modesto, tem que ser desprendido.

Nada de ser modesto, não. A gente tem que querer o melhor, o mais adequado e o mais saudável. Claro que não pode entrar na ilusão e construir castelos. Mas a gente vai escolher direito o que quer, para não ter problema na vida.

Eu, aqui, só escolho o melhor para mim; eu tenho a coragem de escolher o que me serve. Eu vibro nos meus bons pensamentos e só faço me aproximar do bem. Vocês já sabem que eu vivo cantando:

— Tudo *bãããão*, violão, pra mim *tá* tudo *bãããão*.

O destino, essa ideia de predestinação em que vocês tanto acreditam e culpam, é pura fantasia. Deus não traçou nenhum destino para ninguém, tudo é escolha, tudo é Lei. Aquilo em que vocês acreditam acontece, aquilo que vocês merecem vocês recebem.

Mas a vida é de vocês e a decisão é de sua responsabilidade. Mas que uma vida sem felicidade não é vida, não é. É uma escolha muito horrorosa e que não leva a nada, não acrescenta nada na vida espiritual.

Não tenham ilusões, não acreditem que vocês estejam passando por provações para a limpeza do espírito.

Com sofrimento, vocês não ganham nada, a não ser a dor e o sentimento de abandono.

Deixem a violência bater em outras portas, não tenham medo de ninguém nem do amanhã. Que o amanhã seja da forma que Deus quer, não da forma que vocês acreditam que vai ser, movidos pelos seus medos.

Deus quer sempre o bem. Comunguem na vontade dele e não criem fantasmas que vão preocupar e controlar vocês.

Escorreguem feito sabão das coisas ruins, das pessoas ruins, dos pensamentos ruins. Escorregar não é cair no chão, não; escorregar é a arte de "sair de fininho" das situações ruins, é o jeito de não entrar na conversa de ninguém.

Tem muito vampiro por aí, muitos lastimadores com energias muito negativas.

Fujam disso tudo para não plasmar uma energia ruim que se materializa em violência, em maldade, em doenças.

Fujam até da violência dos programas de televisão, dos filmes, dos jornais. Não veja, não leia, não converse.

Isso tudo não é do seu mundo, não se aproxime dessas coisas.

Vocês bem sabem que as ideias se materializam, não?

Vocês já pensaram o que seriam capazes de fazer se tivessem verdadeiramente a certeza absoluta da eternidade da vida?

Vocês já imaginaram a revolução que aconteceria nas suas vidas?

Eu toco nesse assunto porque sei que muita gente concorda que a vida é eterna, que acredita que existe vida após a morte do corpo físico, que comunga com o princípio da reencarnação.

Mas eu sei também que na maioria das vezes esse entendimento é só intelectual, do raciocínio, e não uma convicção do fundo do coração.

Na verdade, o povo diz que acredita, mas não vive o que acredita.

Se a gente olhasse a vida sobre o ponto de vista da eternidade, as coisas seriam bem diferentes, não é?

Ninguém mais iria se preocupar com os filhos, com a idade, com o futuro, com todas as coisas passageiras desta vida.

Tudo ia ficar tão pequeno, tão insignificante.

Mas eu fico pensando o quanto de energia vocês botam nas coisas, quanto drama vocês fazem, quantas preocupações vocês criam.

Sofrimentos por coisas passageiras.

Vocês sabem que a vida é eterna, mas não andam vivendo para a eternidade, não.

Andam vivendo para um futuro muito próximo, muito no chão, muito apegados a coisas que não têm nenhum valor para a eternidade que os aguarda.

Esse é um ponto de vista muito profundo e deveria ser muito bem avaliado por vocês.

Quem verdadeiramente crê na eternidade precisa parar para pensar o porquê de estar tão preso na Terra, nesta passagem tão curta por aqui.

É muito engraçado como o ser humano passa superficialmente pelas provas que levam à vida eterna e fica perdendo tempo por aí, quebrando a cabeça por causa de probleminhas, sofrendo por ninharias.

Será que vocês não têm um momento nas suas vidas em que param para refletir sobre isso?

Têm, não é?

Vocês até pensam, mas acabam afastando as ideias por terem medo de acreditar para valer. Medo de acreditar, de constatar a verdade e ter que assumir todas as mudanças que vão ser necessárias.

A consciência da nossa condição de eternidade amedronta tanto, que pensamos que vamos nos perder na vida, que vamos enlouquecer.

Essa complexidade faz com que todos corram para o lugar-comum, para continuar a fazer tudo igual a todo mundo, acreditando ter a segurança que a mediocridade dá.

Eu falo de coração para vocês, falo abertamente de coisas que já vivi por aí e que venho confirmando neste meu estágio, aqui onde estou.

Falo através da minha alma e gostaria muito que a alma de vocês escutasse a minha.

Mas não pensem vocês que eu sou um Deus ou mentor. Vocês sabem que eu estou também no aprendizado.

Eu sei também que não é sozinho que a gente alcança as coisas, mas sempre com a ajuda da natureza.

Claro que há uma condição, que é estarmos com o coração aberto para a natureza agir dentro de nós.

Deixem a natureza agir em vocês.

Eu não estou fazendo nada, a não ser passando para vocês tudo aquilo que venho aprendendo e que os meus mentores me autorizam a fazer.

Saibam também que não adianta apressar as coisas, resolver tudo rapidinho, querer que as mudanças ocorram no tempo imediato de vocês.

Aprendam que o tempo da vida não é o nosso tempo.

Apenas entreguem seu coração para que a vida comece a transformação em você.

A partir da compreensão da eternidade e da sua aceitação como ser cósmico, tanta coisa fica melhor, tanta coisa fica mais fácil, tanto dramalhão e sofrimento inúteis acabam.

Ganham-se paz e confiança em si.

Perde-se o medo do desamparo, que é reflexo do medo do futuro.

O desamparo é uma constante na vida de quem só acredita nos limites da vida na Terra.

É aquele medo danado de não dar conta do recado, de ficar só, de não saber o que fazer, de ficar perdido.

É o caminho para todos se agarrarem uns aos outros, para todos se prenderem nas loucuras de todos. É um "grude" nas desgraças, é uma corrente de lamentações em que um vai se tornando o vampiro do outro.

É então o desamparo, coisa de gente que vive a vida do ponto de vista materialista, que entende a vida como um processo isolado, como se fosse uma coisa distante da sua realidade, que não faz parte dela.

São pessoas que não tomam posse da sua própria vida.

Não entrando na frequência da vida, não encontram a frequência da eternidade.

Quando então a gente começa a entrar na frequência da eternidade, comungando desse sentimento absoluto, de além do tempo, dessa ausência de anos, nos tornamos verdadeiramente cidadãos cósmicos, prontos para receber as energias da harmonia universal.

Para acabar, eu quero dizer para vocês que eu toco sempre nesse assunto de eternidade, que vocês já devem estar cansados de ouvir, não só para tentar ajudar vocês como pessoas, mas também por pretender trabalhar pela VIDA, na sua dimensão maior.

Já sei que ninguém trabalha por ninguém, mas sei que, com ajuda e orientação, as pessoas vão aos poucos despertando para a evolução, enquanto dão oportunidade para a vida mudar dentro delas.

A evolução não acaba nunca, a fonte do conhecimento não é medida por tempo.

Só na eternidade — que é um eterno presente — é que vamos crescendo, descobrindo, evoluindo.

Nada é mais intenso que cada momento, pois cada momento é a plenitude da eternidade.

O desafio da vida está lançado.

Vocês com o seu aí e eu com o meu aqui, cada um no seu plano.

A vida, mesmo sendo muito gratificante, é muito cheia de surpresas desagradáveis, e temos que nos preparar para enfrentá-las e superá-las. A gente acha que a última dessas surpresas que acabou de acontecer na nossa vida foi o fim das coisas ruins, das provações.

É sempre assim: nos entristecemos, lutamos, tentamos superar e, quando nos "livramos" dela, pensamos: "Ufa! Acabou, passei por essa e agora vou sossegar um pouco".

Quer dizer, aquela surpresinha desagradável que aconteceu ontem, acreditamos que tenha sido superada e que nada mais vai nos acontecer.

Mas, de repente, sem aviso nenhum, somos surpreendidos por um outro desafio.

A vida vai assim mesmo, para todos os lados, e a gente tem mais é que se preparar para enfrentar as dificuldades, se fortalecer.

O fortalecimento é um trabalho constante, diário, porque nós já passamos por tantos desafios e sabemos — apesar de não querermos — que não adianta ficar na ilusão, pois a vida vai sempre nos trazer umas e outras.

A nossa força de domínio tem que estar sempre ativada para o enfrentamento das surpresas negativas que nos acontecem, nos defendendo das ameaças, das opiniões contrárias, das críticas, das armadilhas que temos que desarmar.

Vocês bem sabem como nós somos, não é?

Estamos muito presos nos nossos pontos de vista, nas nossas convicções.

Acreditamos muito que a nossa verdade é absoluta e não admitimos contestações.

Não conseguimos ainda admitir que outras pessoas possam ter uma visão diferente da nossa, principalmente quando elas batem de frente com a visão da gente.

Quando as pessoas nos desafiam, quando jogam na nossa cara verdades ou mentiras que não entendemos, a gente se ofende e o orgulho bota a sua cara para fora.

A nossa reação é querer impor a nossa verdade, querer fazer prevalecer que o certo é aquilo que nós decidimos que o seja.

São essas pretensões, esse orgulho que fazem a gente sofrer. Que desencadeiam as surpresas desagradáveis, os desafios aos quais me refiro.

E é aquele sofrimento, aquela dor no peito, aquela encrenca toda.

Vejam então como é a vida, como a gente não está preparado para nada que seja diferente do nosso mundinho, como não estamos preparados para os desafios rotineiros.

Mas eu pergunto para vocês: por que é que precisamos ficar indignados, se o outro está exercendo o direito de expressar o seu modo de ser?

Será que somente nós, isoladamente, temos direitos no mundo?

Afinal, todo mundo tem a liberdade de se expressar, de pôr para fora o que sente por dentro.

Direitos são direitos, minha gente.

Se vocês querem ir em frente, o caminho é abrir espaço para o outro.

Agora me digam: vocês estão preparados para o próximo choque? Estão firmes para aguentar o próximo comentário que vão fazer de vocês? Vão sofrer, vão se ofender?

Pois se preparem, porque vem. Ah, se vem!

Não se iludam.

A preparação tem que estar dentro de vocês, na aceitação das opiniões contrárias, no abandono da arrogância, desse pedantismo todo. Chega de se pavonear, porque ninguém nesta vida é dono da verdade.

Quando você acaba por aceitar — e compreender — que na vida tudo é discutível, que nada é verdade absoluta, que há diversidade de opinião, que há pontos de vista contraditórios, tudo passa a ser mais simples e sem importância.

A gente acaba olhando tudo, tudo, como aspectos normais de pensamento.

Todavia, você continua sendo diferente, único.

Mas a sua unicidade faz parte de um todo, possível de ver convivido com harmonia.

Quando a gente vive criticando o nosso crítico, declaramos uma guerrinha. Acabamos atraindo o crítico por também sermos críticos. E é uma coisa que cresce, que vai envolvendo muita gente.

E não acaba bem, claro. Pois um bando de idiotas duelando a troco de nada só leva à dor, àquelas surpresas desagradáveis que acabamos por ter que vivenciar.

O orgulho é uma voz na cabeça, voz esta não compreendida pelo peito. No peito está uma outra coisa, chamada satisfação interior.

O orgulho transforma a sua vida em um amontoado de ilusões. E a ilusão é como uma escada: quando você a tira, você acaba indo para o chão.

Mas se você está na verdade, firme no chão, não há escada, não há para onde cair.

A verdade é o chão, e a ilusão é o topo da escada.

Para ser forte e lidar bem com a vida, é preciso tirar a escada e se manter firme no chão da verdade.

Acredite sempre na sua própria avaliação, na sinceridade do seu coração e nada de entrar nas vozes externas, nas suas atitudes implicantes e fantasiosas.

A exaltação, a aflição, o sair para a briga é sempre a manifestação do orgulho que quer fazer você acreditar ser o melhor.

A sua verdade deve prevalecer em você e para você. Não tente jogá-la para os outros. Deixe cada um na sua verdade.

Somente quando estamos ligados com o nosso centro de verdade é que entendemos os nossos direitos e os direitos dos outros, os quais nunca podem ser confundidos ou misturados. Assim, quando houver uma tentativa de confronto com o outro, você nunca será atingido.

É preciso muito esforço para abandonar as ideias traidoras, para se livrar do fascínio pelas coisas que não existem e povoam as nossas cabeças e que invariavelmente nos levam para o caminho da dor. Somente dentro de nós é que reside o testemunho da nossa própria força, força esta que nos dá o sentido de realidade e das verdades que nos indicam o caminho da eternidade.

A verdade interior é a semente que brota quando nós temos a coragem de plantar na alma aqueles sentimentos que acusam uma direção diferente e que nos dão coragem de tirar o poder que demos à mentira, à falsidade, às aparências.

Todavia, essa consciência do nosso real papel na vida desagrada a quase todas as pessoas que estão perdidas nas ilusões. Desagrada e ativa a fúria dos homens que querem explorar uns aos outros, enquanto quase todos se deixam levar pela cegueira das vaidades.

Quando estamos no nosso centro de verdade, quando agimos com total impessoalidade, somos acusados de indiferentes, de egoístas.

Sabem por quê?

Porque não entramos nos dramas mórbidos que as criaturas criam em suas mentes e acabam tornando reais em suas vidas.

Somos acusados de inconsequentes, de indiferentes, de ausentes e alienados só porque não abraçamos as tragédias e o clima apocalíptico de todos que se jogam no sofrimento, no apego, no falso amor, na falsa aparência e na vaidade, querendo "estar" e "ser" aquilo que a natureza não os fez.

Mas deixem que todos gritem desesperados, querendo puxá-los para dentro daquele inferno.

Saiam dessa prisão com o coração limpo, na sua coragem, pensando em vocês, vivendo em vocês.

Prestem atenção nas suas energias verdadeiras, nas suas necessidades de alma.

Deixem essa energia fluir sempre, deixem a grandeza da alma se expandir.

Sintam a imensidão do seu mundo, pois temos que ser imensos e plenos, temos que, nos nossos pequenos gestos do dia a dia, adquirir a leveza que só a paz de espírito é capaz de gerar.

Nós temos uma grandeza humana nos sustentando, e para vivenciá-la precisamos nos libertar das prisões das aparências que criamos para enfrentar o mundo.

Largando essas aparências ilusórias, nos aproximamos da inspiração divina e nos inspiramos para a grandeza.

Afinal, chega de viver neste mundo tal como ele está. Ele não está bom, não é?

Está na hora de viver o nosso mundo interior para podermos reconstruir esse mundo aqui de fora.

É cada um no seu pequeno trabalho diário, fazendo coisas muito grandes.

E quando esse povo do poder acordar, quando esse povo iludido sair do sonho, já será tarde.

Tudo já terá sido mudado, pois já começamos uma nova época, já estamos com a nossa nova consciência, reescrevendo a história.

A verdadeira revolução está dentro da alma das pessoas que perderam o medo, das pessoas que se livraram das velhas crenças.

É uma revolução sem retorno que está aí, explodindo todas as mentiras, todas as falsidades, todas as chantagens instituídas para preservar falsas religiões.

Na verdade, toda instituição que se diz dona da verdade, com toda a soberba, vai cair por terra, se deteriorando nos seus conceitos arcaicos e nas suas convicções de pecado e castigo, de inferno e paraíso.

Pois toda semente que não for daquela que o Pai plantou vai perecer. Isso está no apocalipse. E apocalipse não será o cair de montanhas, não será o invadir dos mares e fogos, nem mesmo o fim do mundo, como dizem as falsas religiões.

O apocalipse é a grande revolução, a grande guerra dentro do ser humano.

O apocalipse é um processo interior de destruição de mitos e falsidades que permeiam há séculos os livros ditos religiosos.

Todos vão estremecer os seus continentes interiores, sentindo-se invadidos pelas águas da renovação espiritual que destruirão as cidades das suas ilusões, que apagarão das mentes esse ideal de falsa humanidade.

Essa é a onda apocalíptica que está chegando ao planeta, em ondas fortes, que todos já estão sentindo, mas a que poucos estão reagindo, poucos estão compreendendo.

É dentro da alma esse apocalipse, é a reconstrução da alma com outros valores.

O único mundo que findará será o mundo das ilusões do homem. Esse será o único fim, porque, de resto, tudo é continuidade, tudo é eternidade.

Na programação divina, a Terra está pronta para dar um passo na sua cadeia evolucionária. É só isso, minha gente, e nada mais.

Nada de fim de mundo.

Não existe fim, pois toda terminação será sempre um recomeço.

O fim é apenas a reconstrução de um novo início.

Sintam, minha gente, a força crística que está por aí, anunciando a revolução do planeta, se liguem a ela. Essa força é a guardiã da Terra, a possibilitadora dos projetos divinos. Fiquem junto a ela, sintam e vivam a sua inspiração.

Se renovem, fazendo o seu trabalho interior, jogando para fora tudo quanto é besteira, se apeguem às suas verdadeiras crenças. Deixem o seu coração ser dirigido por essa força. Não tenham medo de ser grandes, não tenham medo de ser diferentes, entreguem-se para quem está com o poder da renovação.

O seu apocalipse já começou agora, no momento em que vocês assumiram a verdade divina.

Todos nós vamos — cedo ou tarde — ser chamados para a nossa verdade interior.

E o mundo de todos vai cair um dia, dentro desse espaço de tempo que é a eternidade.

Chegou a hora da renovação. Observem que quase tudo vai perdendo o sentido, principalmente o apego material, já que ele não nos dá segurança nem paz.

Não temam perder as suas posses, porque a sua mudança vai ser no seu interior, no que você "é" e não no que você "tem" ou pensa que tem.

No final das contas, no momento do seu apocalipse, vocês vão ter que ceder a uma nova ordem que é fruto da vontade de Deus, da vontade divina, supremamente maior que a sua vontade. E vão ter que assumir e seguir, não terá outro jeito, porque, se a gente botar resistências, só vai doer.

Leve será seguir esse caminho, pois o jugo de Deus é suave e a sua vontade é a libertação.

E, ainda, o mais gratificante de tudo é que vocês perceberão que Deus não é "aquilo" que vocês pensam ser...

O povo não vive a vida, o povo vive o sonho na vida.

Para tentar tornar a nossa vida do jeito que a gente sonha, vamos criando coisas ruins, vamos enchendo o nosso coração de ansiedade, tornando os nossos dias um desfilar de eternos tropeços.

É muita "forçação" na tentativa de distorcermos os caminhos da vida para adequá-la aos nossos sonhos, para vivermos alheios ao mundo real.

A vida quer ir para um lado, mas a gente a empurra no sentido contrário.

E eu pergunto:

— Será mesmo que, se a gente deixar de sonhar, a vida vai perder o encanto?

Sonhamos, idealizamos, corremos atrás de ilusões, e só nos deparamos com tapas de lá, com tapas de cá.

Passamos por cima da nossa verdade, renunciamos, sofremos.

Adiamos tomar consciência da simplicidade, que é viver o que somos.

Adiamos porque um dia o inevitável tem que acontecer, um dia teremos que ceder e nos conformar, assumindo o que é nosso de verdade.

É muita renúncia, é muito massacre, é muito sacrifício por não querermos enxergar que a vida é apenas o que é e nunca o que comandam os nossos sonhos.

Deus do céu!

Como vocês correm atrás do que não são, como vocês perseguem a riqueza e o poder... Como vocês se arrastam atrás da beleza, atrás da magreza, atrás da elegância, atrás de tudo o que nem sei mais...

O que é isso, minha gente? Para onde é que vocês estão levando as suas vidas?

Que descontentamento é esse?

É o materialista correndo atrás das posses.

É o espiritualista correndo atrás da ilusão de ser um espírito de luz, sem compreender que, para chegar lá, há um longo caminho.

O pior é que um incentiva o outro para manterem-se no sonho.

— É necessário sonhar, é preciso ter ilusões para aguentar a vida.

Um reforça o outro para não desistir. Um reza pelo outro para conseguir materializar os sonhos.

No fim de tudo, todos vão caindo no caminho, todos vão se sentindo derrotados, porque quase sempre os sonhos não correspondem à verdade da vida.

É o momento da desilusão, é o momento em que vocês entram em depressão, tornam-se frustrados e não têm nem mais vontade de viver.

Uns desistem.

Outros ficam na chantagem das promessas.

Outros mudam de religião e outros ainda se tornam ateus.

Mas quase ninguém se volta para dentro de si e ouve a sua verdade.

Neste mundo, as pessoas não sabem mais viver de outro jeito, a não ser mergulhadas nos sonhos.

Certamente, acho que nunca aprenderam a perceber a realidade da vida.

Não aprenderam a viver assim, largados, abertos, na confiança de que a vida provê o necessário.

Eu digo para vocês uma coisa que para nós aqui é muito clara:

— O sonho, a ilusão que faz vocês acreditarem que a sua felicidade está num determinado lugar é uma armadilha. Porque verdadeiramente a felicidade não é um estado separado de vocês, e o seu melhor não está onde vocês pensam estar.

A felicidade nunca está onde sonhamos encontrá-la.

O que mais a gente ouve de vocês é assim:

— Ah, se eu fosse... Ah, se eu tivesse, eu estaria muito bem.

São vocês pensando que esse "estar bem" está preso àquilo que vocês consideram faltoso na sua vida.

Mas não está, não, e não adianta se agarrar a essa ilusão.

— Calunga, onde ficam as nossas vocações, as nossas metas?

Aí está a confusão, minha gente.

A vocação não é sonho, é um chamamento da alma.

Através da compreensão e da manipulação da vocação, vocês podem estabelecer metas, que são sempre possíveis de se alcançar.

Porque vêm da alma, e não da ilusão.

E para a materialização da vocação, a vida está sempre dando os meios, está sempre abrindo as portas do sucesso.

O resto é desencontro, é sonho e exige muita luta, leva a muito sofrimento.

Agora, se você se envolve com consciência na materialização da sua vocação, se você persiste no seu ideal, se você faz o seu melhor, isso não é luta, é prazer em conquistar.

Luta é aquela atividade que dá ansiedade e insegurança, que nos dá aquela sensação de incapacidade e de nunca conseguir.

Luta é o sacrifício do nunca chegar e só nos leva ao desencanto, à decepção e à frustração.

Portanto, minha gente, não se preocupem, não, achando que se não tiverem sonhos a vida vai perder o sentido, vai perder a esperança.

Não é isso, não.

Quando você se convencer de verdade que os sonhos só levam às frustrações e, de repente, largar tudo, o que acontecerá?

Acontecerá o que acontecer!

— Uai, Calunga, que história é essa de acontece o que acontecer?

Acontecerá o que o universo quer para a gente e de que nós estamos há tanto tempo fugindo.

O universo vai finalmente levar a gente para as coisas que são nossas, para o nosso coração, para a nossa alma.

Vamos ser jogados para vivenciar o encontro com a nossa verdade.

Começará um novo tempo, a vida se tornará cheia de aventuras curiosas e interessantes que só alegrarão o nosso coração.

O homem acha que abdicar dos sonhos é assumir a derrota, que tudo está acabado, que a vida fracassou.

Que os sacrifícios vividos de nada valeram.

O homem sem sonhos se acha um perdedor.

Mas esses pensamentos não têm fundamento, porque tudo que não dá certo na nossa vida sempre começou a ser construído em cima de um sonho, de uma ilusão.

Não existe um só caminho para sermos felizes.

Há um universo rico em possibilidades depois que nos libertamos daquela linha reta que é viver nos sonhos, nas ilusões.

Fora do sonho, a vida é rica em encontros internos e externos.

O caminho da libertação é a aceitação da vida como ela é.

Fim

CONHEÇA OS GRANDES SUCESSOS DE

GASPARETTO

E MUDE SUA MANEIRA DE PENSAR!

Atitude
Afirme e faça acontecer
Conserto para uma alma só
Faça da certo
Gasparetto responde!
O corpo – Seu bicho inteligente
Para viver sem sofrer
Prosperidade profissional
Revelação da Luz e das Sombras
Se ligue em você

COLEÇÃO METAFÍSICA DA SAÚDE

Volume 1 – Sistemas respiratório e digestivo
Volume 2 – Sistemas circulatório, urinário e reprodutor
Volume 3 – Sistemas endócrino e muscular
Volume 4 – Sistema nervoso
Volume 5 – Sistemas ósseo e articular

COLEÇÃO AMPLITUDE

Volume 1 – Você está onde se põe
Volume 2 – Você é seu carro
Volume 3 – A vida lhe trata como você se trata
Volume 4 – A coragem de se ver

COLEÇÃO CALUNGA

Calunga – Um dedinho de prosa
Calunga – Tudo pelo melhor
Calunga – Fique com a luz...
Calunga – Verdades do espírito
Calunga – O melhor da vida
Calunga revela as leis da vida
Calunga fazendo acontecer

LIVROS INFANTIS

A vaidade da Lolita
Se ligue em você 1
Se ligue em você 2
Se ligue em você 3

Saiba mais: www.gasparetto.com.br

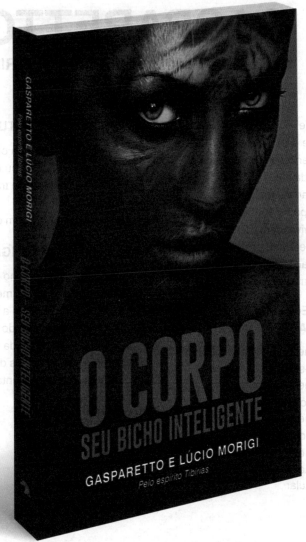

O CORPO
SEU BICHO INTELIGENTE

GASPARETTO E LÚCIO MORIGI

Pelo espírito Tibirias

Nosso corpo é uma estrutura complexa, que mostra uma inteligência extraordinária — separada da nossa inteligência mental — e que é capaz de nos manter vivos.

Eu o chamo de bicho porque ele age exatamente como um animal que precisa ser dominado, disciplinado e educado para que trabalhe a nosso favor.

Compreender como o corpo atua é colocar à nossa disposição seus talentos e poderes, fazendo de nós pessoas mais preparadas para conquistar o que mais queremos nesta vida.

O mundo quer nos separar da companhia dele, fazendo-nos fracos, racionalistas, separados de nossos instintos e da capacidade que ele tem de criar nosso destino.

Este livro quer apenas ajudar você a ser uma pessoa mais completa, saudável e poderosa, dominando os dons que a natureza lhe deu.

COLEÇÃO
METAFÍSICA DA SAÚDE

Luiz Gasparetto e **Valcapelli** desvendam as causas de muitos males. Os cinco volumes da coleção explicam de forma direta e clara como funciona o corpo humano.

Acredito que é hora de pararmos para nos perguntar por que um organismo que sempre foi capaz de se adaptar e se defender, preservando a saúde, fica doente de uma hora para outra. Ou, ainda, por que desenvolvemos um tipo de doença em um certo local do corpo e não em outro?

A Metafísica moderna tem investigado e encontrado dramáticas e surpreendentes leis que nos revelam como funcionamos.

Esta coleção traz até você uma nova visão de vida e ensina a compreender os sinais de seu corpo muito antes que a doença chegue.

Luiz Gasparetto

Estes e outros sucessos, você encontra nas livrarias e em nossa loja:

www.vidaeconsciencia.com.br/lojavirtual

GRANDES SUCESSOS DE
ZIBIA GASPARETTO

Com 18 milhões de títulos vendidos, a autora
tem contribuído para o fortalecimento da literatura
espiritualista no mercado editorial e para a popularização da
espiritualidade. Conheça os sucessos da escritora.

Romances
pelo espírito Lucius

A verdade de cada um

A vida sabe o que faz

Ela confiou na vida

Entre o amor e a guerra

Esmeralda

Espinhos do tempo

Laços eternos

Nada é por acaso

Ninguém é de ninguém

O advogado de Deus

O amanhã a Deus pertence

O amor venceu

O encontro inesperado

O fio do destino

O poder da escolha

O matuto

O morro das ilusões

Onde está Teresa?

Pelas portas do coração

Quando a vida escolhe

Quando chega a hora

Quando é preciso voltar

Se abrindo pra vida

Sem medo de viver

Só o amor consegue

Somos todos inocentes

Tudo tem seu preço

Tudo valeu a pena

Um amor de verdade

Vencendo o passado

Crônicas

A hora é agora!

Bate-papo com o Além

Contos do dia a dia

Pare de sofrer

Pedaços do cotidiano

O mundo em que eu vivo

O repórter do outro mundo

Voltas que a vida dá

Você sempre ganha!

Coleção – Zibia Gasparetto no teatro

Esmeralda

Laços eternos

Ninguém é de ninguém

O advogado de Deus

O amor venceu

O matuto

Outras categorias

Conversando Contigo!

Eles continuam entre nós vol. 1

Eles continuam entre nós vol. 2

Em busca de respostas

Eu comigo!

Pensamentos vol. 1

Pensamentos vol. 2

Momentos de inspiração

Recados de Zibia Gasparetto

Reflexões diárias

Vá em frente!

Grandes frases

Sucessos
Editora Vida & Consciência

Amadeu Ribeiro

A visita da verdade
Juntos na eternidade
O amor não tem limites
O amor nunca diz adeus
O preço da conquista

Reencontros
Segredos que a vida oculta vol.1
A beleza e seus mistérios vol.2
Amores escondidos vol. 3

Ana Cristina Vargas
pelos espíritos Layla e José Antônio

A morte é uma farsa
Em busca de uma nova vida
Em tempos de liberdade
Encontrando a paz
Ídolos de barro

Intensa como o mar
Loucuras da alma
O bispo
O quarto crescente
Sinfonia da alma

André Ariel

Além do proibido
Em um mar de emoções
Eu sou assim
Surpresas da vida

Carlos Henrique de Oliveira

Ninguém foge da vida
Tudo é possível

Carlos Torres

A mão amiga
Querido Joseph (pelos espírito Jon)
Uma razão para viver

Cristina Cimminiello
O segredo do anjo de pedra

Eduardo França
A escolha
A força do perdão
Do fundo do coração
Enfim, a felicidade
Vestindo a verdade
Vidas entrelaçadas

Evaldo Ribeiro
Aprendendo a receber
Eu creio em mim
O amor abre todas as portas (pelo espírito Maruna Martins)

Flávio Lopes
A vida em duas cores
Uma outra história de amor

Floriano Serra
A grande mudança
A outra face
Ninguém tira o que é seu
Nunca é tarde
O mistério do reencontro
Quando menos se espera...

Gilvanize Balbino
De volta pra vida (pelo espírito Saul)
Horizonte das cotovias (pelo espírito Ferdinando)
O homem que viveu demais (pelo espírito Pedro)
O símbolo da vida (pelos espíritos Ferdinando e Bernard)

Leonardo Rásica
Celeste - no caminho da verdade

Lucimara Gallicia
pelo espírito Moacyr

O que faço de mim?
Sem medo do amanhã

Lúcio Morigi

O cientista de hoje

Marcelo Cezar
pelo espírito Marco Aurélio

Acorde pra vida!
A última chance
A vida sempre vence
Coragem para viver
Ela só queria casar...
Medo de amar
Nada é como parece
Nunca estamos sós
O amor é para os fortes
O preço da paz
O próximo passo
O que importa é o amor
Para sempre comigo
Só Deus sabe
Treze almas
Tudo tem um porquê
Um sopro de ternura
Você faz o amanhã

Márcio Fiorillo

Nas esquinas da vida

Maura de Albanesi
pelo espírito Joseph

O guardião do Sétimo Portal
Coleção Tô a fim

Meire Campezzi Marques
pelo espírito Thomas

A felicidade é uma escolha
Cada um é o que é
Na vida ninguém perde

Mônica de Castro
pelo espírito Leonel

A força do destino
A atriz
Apesar de tudo...
Até que a vida os separe
Com o amor não se brinca
De frente com a verdade
De todo o meu ser
Desejo – Até onde ele pode te levar? (pelos espíritos Daniela e Leonel)
Gêmeas
Giselle – A amante do inquisidor
Greta
Impulsos do coração
Jurema das matas
Lembranças que o vento traz
O preço de ser diferente
Segredos da alma
Sentindo na própria pele
Só por amor
Uma história de ontem
Virando o jogo

Rose Elizabeth Mello

Como esquecer
Desafiando o destino
Os amores de uma vida
Verdadeiros Laços

Sérgio Chimatti
pelo espírito Anele

Apesar de parecer... Ele não está só
Ecos do passado
Lado a lado
Os protegidos
Um amor de quatro patas

Conheça mais sobre espiritualidade com outros sucessos.

 vidaeconsciencia.com.br  /vidaeconsciencia  @vidaeconsciencia

Ela confiou na vida

ZIBIA GASPARETTO

Romance ditado pelo espírito Lucius

É mais difícil nascer do que morrer. Morrer é voltar para casa, rever parentes e amigos. Nascer é ter de esquecer tudo, enfrentar as energias do mundo, encarar problemas mal resolvidos do passado, desenvolver dons e aprender as leis da vida!

Embora tivesse se preparado para nascer, Milena sentiu medo, quis desistir, mas era a sua hora, e seus amigos espirituais a mergulharam em um pequeno corpo preparado para ela.

No entanto, o futuro revelou toda a beleza de seu espírito e a força de sua luz. É que, apesar do medo, ELA CONFIOU NA VIDA!

Estes e outros sucessos, você encontra nas livrarias e em nossa loja:

www.vidaeconsciencia.com.br/lojavirtual

ZIBIA GASPARETTO
Eu comigo!

*"Toda forma de arte
é expressão da alma."*

Zibia Gasparetto convida você a mergulhar no seu mundo interior. Deixe os problemas de lado, esqueça o negativismo e libere o estresse do dia a dia. Passeie por entre as figuras, inspire-se com cada mensagem e coloque cor em seu mundo. Use suas tonalidades preferidas, libere o potencial criativo que existe dentro de você.

Eu comigo! é um livro para quem quer fugir da rotina e buscar aquela sensação de paz que a arte pode proporcionar. Inspire sua alma com as frases de Zibia Gasparetto criadas especialmente para você e ricamente ilustradas com desenhos encantadores.

Bem-vindo ao seu mundo interior.

www.vidaeconsciencia.com.br

Rua Agostinho Gomes, 2.312 — SP
55 11 3577-3200

contato@vidaeconsciencia.com.br
www.vidaeconsciencia.com.br